S0-BZW-681

Manual de Estilo
Editora Abril

LIVRO 7 — EMP. CULTURAIS

RECIFE   TEL. 231.5213
UFPE RECIFE   TEL. 271.2870
J. PESSOA   TEL. 221.4249
C. GRANDE   TEL. 321.4930

CERTIFICADO DE GARANTIA
PARA DEFEITOS GRÁFICOS

Manual de Estilo Editora Abril 🌳

Como escrever <u>bem</u> para nossas revistas

EDITORA
NOVA
FRONTEIRA

© 1990, by Editora Abril S.A.

Direitos de edição da obra em língua portuguesa adquiridos pela
EDITORA NOVA FRONTEIRA S/A.
Rua Bambina, 25 – CEP 22251 – Botafogo – Tel.: 286-7822
Endereço telegráfico: NEOFRONT – Telex: 34695 ENFS BR
Rio de Janeiro, RJ

CIP–Brasil. Catalogação–na–fonte
Sindicato Nacional dos Editores de Livros, RJ.

M251   Manual de estilo Editora Abril: como escrever bem para
        nossas revistas. — Rio de Janeiro: Nova Fronteira,

        1. Jornalismo — Manual de estilo. 2. Periódicos — Reda-
        ção técnica. I. Título: Como escrever bem para nossas revistas.

89-1012   CDD – 070.41
                                                 CDU – 070.415

"Aprendemos no céu o estilo da disposição, e também o das palavras. As estrelas são muito distintas e muito claras. Assim há de ser o estilo (...); muito distinto e muito claro. E nem por isso temais que pareça o estilo baixo; as estrelas são muito distintas e muito claras, e altíssimas. O estilo pode ser muito claro e muito alto; tão claro que o entendam os que não sabem e tão alto que tenham muito que entender os que sabem."

PADRE ANTÔNIO VIEIRA
(1608-1697)

Sumário

Prefácio 9

Introdução 11

Primeira parte 13
Normas Gerais 15
Princípios 15
Critérios básicos 15
Não escreva 16
Evite escrever 16
Jargão jornalístico 17
Palavrões 17

Segunda parte 19
Estilo e Edição de
Texto 21
Roteiro 21
Título, antetítulo e olho 22
Legendas 23
Páginas de continuação 24
Ponto 25
Vírgula 25
Ponto de interrogação? 25
Ponto da exclamação! 25
Abertura 26
Parágrafos 27
Frases 28
Palavras 29
Números 31
Declarações 32
Adjetivos e advérbios 34
Pragas do texto 35
Repetições 35
Fecho 37
Releitura 38

Terceira parte 39
Grafia 43
Maiúsculas e minúsculas 43

Números cardinais 44
Números ordinais 46
Numerais romanos 46
Anos 46
Milhares 46
Nomes próprios 47
Diálogos 48
Aspas 48
Grifo 49
Abreviaturas 50
Travessão 51
Primeira referência 52

Quarta parte 53
Dúvidas mais Comuns 55
Colocação de pronomes 55
Crase 55
Haver/fazer 56
Palavras que confundem 57
Plurais que parecem difíceis .. 61
Plural dos adjetivos compostos 62
Plural dos substantivos
compostos 62
Por que/porque 62
Prefixos 63
Se 64

Quinta parte 65
Nomes Geográficos 67
Relação de 217 países e
dependências, e
1097 cidades, Estados e
regiões 67

Apêndice 91
Tabelas de Conversão 91

Bibliografia 92

Prefácio 9

Introdução 11

Primeira parte 13
Normas Gerais 15
Princípios 15
Critérios básicos ....
Não usavas ....
?Vir terceira ....
Tardio Jurisdição ....
Plavivras ....

Segunda parte 19
Estilo e Edição de
Texto 21
Rubrica ....
Título assíntido como ......
Emenda ....
Segunda columação ....
Emenda ....
Vírgula ....
Homo de interrupção ....
Homo de exclamação ....
Abertura A ....
Exclpulão ....
Itálico ....
Palavras ....
Números ....
Preliminares ....
Adietivos e advérbios ....
Pagas do texto ....
Retícologia ....
Ferro a ....
Relativo ....

Terceira parte 39
Grafia 43
Maiúsculas e minúsculas 44

Números cardinais 45
Números ordinais 46
numerais romanos 46
Apostos ....
Milhares 46
Nomes próprios 47
Gráficos 48
Siglas 48
onfo 49
Abreviaturas 50
Travessão 51
Primeira referência 52

Quarta parte 53
Dúvidas mais Comuns 55
Colocação de pronomes 54
Crase, fusão 54
Haver, fazer 56
Palavras que confundem 57
Plural dos parenterióticos 61
Plural dos adjetivos compostos 62
Plural dos substantivos
compostos 62
Por que/porque 62
Prefixos 63
Se 64

Quinta parte 65
Nomes Geográficos 67
Raça de fly tribes e
dependências e ....
109 cidades, Estados e
regiões ....

Apêndice 81
Tabelas de Conversão . 91

Bibliografia 92

Por que um "Manual de Estilo"

Desde 1950, a Editora Abril vem se dedicando à publicação de revistas de qualidade superior. Através das décadas, cada um dos numerosos títulos lançados — incluindo CLAUDIA, QUATRO RODAS, REALIDADE, NOVA, PLAYBOY, EXAME E VEJA — vem contribuindo para a surpreendente evolução da imprensa brasileira. Não apenas em termos de conteúdo, mas também — graças ao talento de sucessivas gerações de jornalistas extraordinários — do ponto de vista da linguagem, do estilo e do vocabulário utilizados.

Em todos os casos, nosso objetivo tem sido sempre o mesmo: transmitir notícias corretas, informação confiável, conhecimento, entretenimento e reflexões da maneira mais precisa, mais agradável e mais clara possível. Isto é muito mais difícil do que pode parecer à primeira vista. Pois não há regras para definir o que seja "escrever bem", nem escolas para ensinar a fazê-lo. No máximo — e já é muito — consegue-se ajudar os interessados a escrever *corretamente*. O resto depende da experiência, da autodisciplina e — principalmente — do talento de cada um.

Na medida em que as revistas da Abril se multiplicavam e o número de pessoas envolvidas no processo de editá-las crescia vertiginosamente, tornou-se claro que precisávamos de algum instrumento para codificar e transmitir os padrões desenvolvidos e as lições aprendidas. Foi assim que resolvemos editar — para uso interno — este "Manual de Redação", partindo das regras, tabus, idiossincrasias e esclarecimentos colecionados informalmente, através dos anos, na redação de VEJA.

Quando o trabalho — coordenado pelo jornalista Carlos Maranhão (ex-repórter de VEJA, redator premiadíssimo da PLACAR e atual diretor de redação de PLAYBOY) — ficou pronto, ocorreu-nos que poderia ser igualmente útil *fora* da Abril. A Editora Nova Fronteira também se entusiasmou com a idéia e ... você tem o resultado em suas mãos.

Esperamos que — como um bom e experiente amigo — este Manual o ajude a dirimir dúvidas e encontrar os seus próprios caminhos na difícil e complexa (mas também gratificante e fundamental) arte de escrever.

Roberto Civita
Diretor Superintendente da
Editora Abril

Começar pelo Começo

Clareza na linguagem, precisão nas informações — e bom gosto. Um texto não precisa de muito mais do que isso para ser lido com prazer.

Então, escrever é fácil? Sabemos que não. Antes de se chegar à receita da simplicidade, há requisitos a preencher. E vamos admitir desde logo: em primeiro lugar, exige-se um certo talento. Depois, o conhecimento do idioma e de suas regras gramaticais (até para quebrá-las), familiaridade com o tema tratado, vontade de pensar, capacidade de concentração, amor à leitura e disposição, coragem para enfrentar duras batalhas.

Há, felizmente, algumas normas práticas e testadas para nos orientar. Elas nasceram do bom senso, da inteligência, da experiência e do sofrimento de jornalistas e escritores que já passaram pelo pior. Suas indicações, às vezes sérias, não raro divertidas, contribuem para resolver problemas, abrir e encurtar caminhos. Podemos aprender com Lewis Carroll, por exemplo, a lição óbvia, brilhante e definitiva dada pelo Rei do País das Maravilhas: começar pelo começo, ir até o fim e parar. Ou descobrir, com Voltaire, que uma única palavra colocada fora do lugar "estraga o pensamento mais bonito".

O presente Manual de Estilo procura sintetizar várias observações como essas, que de um jeito ou de outro influenciaram os textos de qualidade que têm sido publicados nas revistas da Editora Abril. Antiga idéia de seu diretor superintendente Roberto Civita, o Manual foi preparado sob a inestimável orientação de Thomaz Souto Corrêa e José Roberto Guzzo, dois profissionais dotados de uma virtude lamentavelmente ainda não disseminada na imprensa brasileira: ambos redigem com admirável competência.

É também um trabalho pessoal, sem dúvida, refletindo nesse sentido concepções do autor, que perseguiu o objetivo de auxiliar os jornalistas da Abril, em especial os mais jovens, no desafio permanente de escrever — bem — para nossas revistas. Apesar desse propósito básico, espera-se que o Manual de Estilo tenha sua utilidade para outras pessoas que lidam com as sutilezas, encantos e armadilhas do texto — colegas ou estudantes, profissionais ou amadores.

Ou seja, pretende-se que ele ajude a descomplicar a tarefa cotidiana de cada um de nós e, no final das contas, facilite a vida do destinatário de nossas palavras, frases, parágrafos, títulos, olhos, legendas, comunicados, cartas, bilhetes: o leitor.

Carlos Maranhão

Primeira Parte

Primeira Parte

PRINCÍPIOS

. As publicações da Editora Abril são voltadas para os interesses de seus leitores. Elas devem lhes oferecer textos bem escritos, atraentes e legíveis. Para isso, tudo o que for impresso — da reportagem de capa à menor nota de serviço — precisará apresentar quatro qualidades básicas: clareza, precisão, bom gosto e simplicidade.

. Como empresa, a Abril está empenhada em contribuir para a difusão da informação, cultura e entretenimento, para o progresso da educação, a melhoria da qualidade de vida, o desenvolvimento da livre iniciativa e o fortalecimento das instituições democráticas no país. Essa filosofia reflete-se no conteúdo de suas publicações, que não veiculam referências que possam ter conotações de preconceito racial, social ou religioso, nem de desrespeito aos direitos humanos universalmente aceitos.

3. Dentro de tais princípios, o objetivo deste Manual de Estilo é facilitar o trabalho rotineiro dos jornalistas da Abril e seus colaboradores a partir de alguns critérios inspirados na única regra para a qual não se abrem exceções: a suprema regra do bom senso.

CRITÉRIOS BÁSICOS:

1. Os títulos das revistas da Editora Abril são grafados em caixa alta, redondo: VEJA, PLAYBOY, CLAUDIA, PLACAR.

2. Nas matérias, não há ponto final em títulos, antetítulos, intertítulos, títulos de continuação, olhos ou subtítulos, legendas e créditos.

3. Toda foto deve ter legenda, obrigatoriamente.

4. É recomendável a colocação de um intertítulo a cada oitenta linhas de texto, pelo menos.

5. O texto principal de toda matéria deve ser capitulado no seu início.

6. Os boxes devem ser diferenciados do texto principal com o uso de grifo, mudança de tipologia ou aplicação de fundo.

7. Salvo nas exceções contidas neste manual, seguem-se os critérios adotados pelo *Aurélio*, 2ª edição.

Não Escreva • Evite escrever

NÃO ESCREVA:

1. Frases feitas, lugares-comuns e jargões.

2. Termos chulos, obscenos, escatológicos e vulgares *(veja também "Pa lavrões" , na página 17).*

3. Construções como "lá em Manaus", "aqui em São Paulo".

4. "Pra" ou "pro", exceto em citações.

5. "Judiar" e outros termos que tenham conotação preconceituosa.

EVITE ESCREVER:

1. "E/ou", por ser impreciso.
2. "Etc.", por ser incompleto.
3. "Último", no sentido de "mais recente".
4. "Por outro lado".
5. Eufemismos.
6. Gírias e regionalismos.
7. Palavras que, depois de entrarem em moda, tornaram-se gastas, como "desmitificar", "desmistificar", "sofisticado", "descontraído", "con texto", "aparentemente", "exatos", "inacreditável", "incrível".
8. Palavras longas.
9. Frases longas.
10. Parágrafos longos.
11. Textos longos.

JARGÃO JORNALÍSTICO

Como o leitor não está familiarizado com a linguagem das redações, evite confundi-lo com termos como estes: barriga, boxe, chamada, cobertura, cobrir, coletiva, copidesque, diagramação, espelho, fechamento, freelancer, furo, gancho, lauda, matéria, olho, pauta, retranca, setorista e outros semelhantes.

"Matéria" — o mais comum de todos — deve ser substituído por "reportagem", "texto", "artigo" ou "entrevista". "Boxe" significa "quadro".

Referências às demais palavras exigem explicações.

PALAVRÕES

Não escreva termos considerados chulos, obscenos, escatológicos ou vulgares. Eles sempre ofenderão uma parcela considerável de leitores.

Nas citações, quando indispensáveis, devem ser grafados com a primeira letra, seguida de reticências.

Em casos excepcionais, a decisão de transcrever um palavrão caberá ao diretor de redação.

Segunda Parte

Segunda Parte

Roteiro

"O Coelho Branco colocou os óculos e perguntou:
— Com licença de Vossa Majestade, devo começar por onde?
— Comece pelo começo — disse o Rei, com ar muito grave — e vá até o fim. Então, pare."

Lewis Carroll
escritor inglês
(1832-1898)
Aventuras de Alice no País das Maravilhas

O duro trabalho de escrever torna-se mais fácil se, antes de iniciá-lo, você elaborar um pequeno roteiro. Organize seu material, assinale o mais importante e enumere num papel os tópicos principais. É o seu ponto de partida para ordenar as idéias e produzir um texto que terá começo, meio e fim. Jornalistas e escritores experientes sabem como essa pequena providência inicial pode simplificar o trabalho de redigir.

Faça um pequeno roteiro e veja como será mais simples escrever.

Título, Antetítulo e Olho

*"No New York Times, eu só leio as
chamadas, os títulos e as
legendas, além do texto de alguns
artigos, e tenho a sensação de ter
lido o jornal inteirinho."*

John Peter
Editor internacional do New York
Times

Eles formam um único conjunto. Quando bons, um leva ao outro.

O título é a chave. Para funcionar, precisa ter impacto. Sem impacto, não chamará a atenção. Se não chamar a atenção, será inútil.

Procure construir seu título com curtas e poucas palavras. De preferência, com uma, duas, três ou quatro — incluindo artigos, conjunções e preposições. São os melhores. Quer ver? *A Bíblia, Romeu e Julieta, O Capital, Crime e Castigo, Memórias do Cárcere, Made in Japan, Ganhar, She, E.T., Men Walk on Moon...* (VEJA, em sua edição nº 183, de 8/3/1972, fez uma obra-prima de síntese e precisão ao titular um pequeno texto com a notícia de que o general norte-americano Vernon Walters era da CIA: "É".)

Um título bem-feito "vende" uma reportagem. Ou uma edição. Um título ruim consegue esconder um magnífico trabalho jornalístico.

Assim, é fundamental dizer logo do que se trata. Se você estiver editando uma matéria sobre Roberto Carlos, escreva o nome dele ou no título, ou no antetítulo ou, no mínimo, como uma das primeiras palavras do olho.

Embora o título deva valer por ele mesmo, o antetítulo serve para situá-lo. O papel do olho é resumir de forma atraente, sob o impacto do título, a essência do texto.

Considere sempre os três como um todo. Portanto, não repita palavras e idéias. Interligue-as. Desenvolva-as.

Invista na criação do título, do antetítulo e do olho o tempo e o esforço que forem necessários e possíveis.

Os melhores títulos que você já leu têm curtas e poucas palavras.

Legendas

"As palavras certas no lugar certo."

Jonathan Swift
escritor anglo-irlandês
(1667-1745)

Toda foto deve ter legenda. Trata-se de um serviço essencial que você não pode deixar de oferecer ao leitor.

Quando folheia uma revista, o que ele vê em primeiro lugar? Os títulos e as fotos. Nesse momento, vai querer saber o que as fotos mostram e por que elas estão ali. Se não descobrir instantaneamente, ele poderá virar a página. Talvez não volte mais. Uma das funções da legenda é evitar essa tragédia.

Aqui, como no caso do bom senso, há uma regra sem exceção: jamais faça uma legenda sem examinar — antes — a foto e seu corte. Em geral, ela deve abrir com a identificação da foto, apresentando em seguida uma informação atraente ligada a essa mesma foto e contida no texto principal. Uma legenda com tais características pode resolver dois problemas: o do leitor e o seu.

O do leitor, porque lhe dará em poucas palavras as informações que procurava.

O seu, porque contribuirá para que ele tome a decisão de ler a matéria que você escreveu.

Uma boa legenda pode resolver dois problemas: o do leitor e o seu.

Páginas de Continuação

*"Com a pena na mão, começo a
compreender que a coisa tem que
ser apresentada de modo a
interessar ao leitor."*

Arthur Conan Doyle
(1859-1932)
Histórias de Sherlock Holmes

Quando você estiver editando uma matéria de mais de duas páginas, pense nela como um todo.

Numa reportagem-padrão de seis páginas, o leitor, antes de mais nada, fará um pequeno teste. Para ver se ela merece seu tempo e atenção, irá provavelmente percorrê-la na seguinte ordem: título, olho, antetítulo, legendas e intertítulos do primeiro layout; título de continuação, título de boxe, legendas e intertítulos do segundo layout; e título de continuação, título do gráfico, gráfico, legendas e intertítulos do terceiro layout.

Tudo isso junto não dará, em média, mais do que uma lauda cheia. Mas só depois de examinar esse conjunto é que o leitor decidirá se vale a pena se debruçar sobre as 200, 300 ou 400 linhas do texto.

Você terá maiores chances de agarrá-lo se levar em conta três coisas:

1. Lembre-se sempre que, primeiro, o leitor irá folhear a matéria. É o momento em que ele poderá ser fisgado com títulos de impacto, legendas sedutoras e intertítulos fortes.

2. Ao escrever o título, o antetítulo, o olho, os títulos de continuação, as legendas e os intertítulos, considere a seqüência em que serão lidos.

3. Jamais cometa o engano de repetir, nesse conjunto, informações e palavras-chaves. Em três layouts duplos, a distância entre o olho e a última legenda não é de cinco páginas. É de poucos segundos de leitura. Do mesmo modo, somente alguns minutos separam uma chamada de capa do título da matéria final de uma edição.

Escreva títulos e legendas pensando na sua seqüência de leitura.

Ponto · Vírgula · Ponto de Interrogação?
Ponto de Exclamação!

PONTO

Use à vontade. Pontos encurtam frases. Dão clareza ao texto. Facilitam compreensão. E confortam o leitor.

Na dúvida, ponto.

VÍRGULA

As vírgulas, quando bem empregadas, contribuem para dar clareza, precisão e elegância às suas frases. Em excesso, provocam confusão e cansaço.

Frase cheia de vírgulas está pedindo um ponto.

PONTO DE INTERROGAÇÃO?

Não use em títulos, antetítulos, intertítulos, olhos e legendas. Quem pergunta é o leitor. Nós procuramos responder.

Não pergunte. Dê uma resposta.

PONTO DE EXCLAMAÇÃO!

Evite. A vontade de usá-lo pode ser sintoma de fraqueza das palavras ou de debilidade da frase. Procure palavras mais fortes para construir uma frase vigorosa.

Mas, quando for o caso de exclamar, exclame!

Procure palavras mais fortes.

Estilo e Edição de Texto

Abertura

*"O que se concebe bem/se enuncia claramente/e
as palavras para dizê-lo/chegam facilmente."*

Nicolas Boileau
poeta francês
(1636-1711)

Ela segue uma lei inviolável: deve agarrar o leitor na hora.

Em qualquer texto — reportagem, relatório ou carta de amor —, o mais importante é o primeiro parágrafo. No primeiro parágrafo, a primeira frase. Na primeira frase, as primeiras palavras.

Se você começar dizendo que vai ensinar o leitor a enriquecer — e disser isso bem —, é quase certo que ele irá acompanhá-lo com interesse. Mas se você fizer a mesma promessa com jargões, clichês, linguagem torturada ou termos obscuros, ele virará a página ou deixará a revista de lado.

Você conhece, sem dúvida, o lead do maior best-seller do mundo: "No princípio, Deus criou o Céu e a Terra". Com sua clareza, sua simplicidade e seu impacto, a abertura da *Bíblia* cumpre um mandamento tão antigo e sagrado quanto ela: se a primeira frase não levar à segunda, seu texto está morto.

Para mantê-lo vivo, reescreva a abertura até sentir que ela ficou, pelo menos, muito boa. Nunca se contente com menos.

Em relação às fórmulas, adote esta: não abuse de nenhuma. Quando você tiver uma boa história para contar, conte-a. Quando você tiver uma bela comparação para apresentar, apresente-a. Mas, acima de tudo, explique desde logo por que sua matéria está sendo publicada.

Sim, por quê? Por uma única e excelente razão: é que ela apresenta um fato novo e relevante capaz de despertar o interesse do leitor. Trata-se do gancho. Pode ser o principal acontecimento político da semana, a final da Copa do Mundo, o lançamento da moda de inverno, uma maneira diferente de arrumar os móveis da sala ou um jeito mais seguro de emagrecer. Seja lá qual for, coloque o gancho no lugar dele: a abertura. O leitor agradecerá ao descobrir sem perda de tempo que está diante de um texto que lhe prestará um serviço.

É a antiga, utilíssima e insuperada regra de que o lead — ou pelo menos a parte inicial de uma matéria — deve incluir os indispensáveis *o que*, *quem*, *onde*, *quando*, *como* e *por que*.

Resolvida a abertura, toda a história que você tem pela frente fluirá com mais facilidade.

Se a primeira frase não levar à segunda, seu texto está morto.

Parágrafos

*"Escrever é um trabalho duro. Uma
frase clara não sai por acidente — e
poucas saem na primeira, na segunda
ou mesmo na terceira tentativa.
Lembre-se disso como consolo nos
momentos de desespero."*

William Zinsser
Escritor norte-americano

Nem tão curtos que façam o texto ficar parecido com uma letra de rock brasileiro, nem tão longos que lembrem os autos de um processo.

Considere o parágrafo, sempre que possível, como uma unidade de pensamento. Interligue um ao outro com a ordenação de idéias que você esboçou no seu roteiro (*veja na página 21*). Se não houver essa seqüência natural, você será tentado a apoiar-se em muletas do tipo "seja como for", "de qualquer forma", "à parte". Resista. A hábil e moderada utilização dessas expressões permite, em certas circunstâncias, encurtar frases e costurar um texto capenga. Em compensação, pode criar um vício — que causa dependência — e automatizar a redação, dando-lhe ares de *déjà vu*. Quando você não conseguir encontrar a ligação entre os parágrafos, experimente uma destas quatro soluções:

1. Reescreva os trechos que não se encaixam.

2. Inicie o bloco desgarrado com uma pergunta (e, por favor, não deixe de respondê-la logo em seguida).

3. Veja se não é o caso de transplantar a parte solta para um boxe ou jogá-la fora.

4. Se não achar outra saída, faça uma separação como esta aqui.

* * *

Em cada parágrafo, há duas frases decisivas: a primeira e a última. Zele para que a primeira seja curta — no máximo, média — e enfática. Assim, além da abertura propriamente dita, você terá várias miniaberturas segurando o leitor. E construa a última frase de modo a transformá-la num trampolim para o próximo parágrafo. Coloque nela toda a força que puder.

É claro que escrever com todas essas preocupações dá mais trabalho. O prêmio, contudo, é tentador: um texto que será lido do começo ao fim.

Em cada parágrafo, há duas frases decisivas: a primeira e a última.

Frases

"Escreve claro quem concebe ou imagina claro."

Miguel de Unamuno
filósofo espanhol
(1864-1936)

Se você deseja ser compreendido, suas frases deverão atender a um r quisito essencial: a clareza. É uma exigência para a qual não existe meio term Se a frase for clara, você dirá o que quis dizer. Se a frase for obscura, vo provocará confusão.

O escritor norte-americano E.B. White observou que a confusão não apenas um distúrbio da prosa. Trata-se também de uma destruidora de vid e esperanças: há viajantes que não encontram quem os aguarde no desen barque por culpa de um telegrama mal endereçado; há casais que se separa depois de uma frase infeliz colocada numa carta cheia de boas intenções; há gente que morre nas rodovias vitimada por palavras obscuras de uma pla de sinalização.

Para conseguir clareza, pense com clareza. "Quem quiser escrever nu estilo claro", recomendava Goethe, "deverá ter primeiro clareza na alma"

Em seguida, coloque suas informações e idéias na ordem direta. Ex tamente, a velha lição que aprendemos na escola: sujeito + verbo + compl mento. E dê preferência às frases afirmativas.

Enfim, toda vez que você sentar-se à máquina, postar-se diante do termin ou pegar a caneta com o propósito de escrever, lembre-se que sentenças breve extensão, amiúde logradas por intermédio da busca incessante da sir plicidade no ato de redigir, da utilização freqüente do ponto, do corte de pal vras inúteis que não servem mesmo para nada e da eliminação sem dó ne piedade dos clichês, dos jargões tão presentes nas laudas das matérias d setoristas, da retórica discursiva e da redundância repetitiva — sem aquel intermináveis orações intercaladas e sem o abuso das partículas de suborde nação, como por exemplo "que", "embora", "onde", "quando", capazes encompridá-las desnecessariamente, tirando em conseqüência o fôlego pobre leitor —, isso para não falar que não custa refazê-las, providência q pode aproximar o verbo e o complemento do sujeito, tais sentenças de brev extensão, insistimos antes que comecemos a chateá-lo, são melhores e ma claras.

Ou seja, use frases curtas.

Clareza, ordem direta, frases curtas.

*"Entre duas palavras, escolha sempre
a mais simples; entre duas palavras
simples, escolha a mais curta."*

Paul Valéry
poeta francês
(1871-1945)

Só use palavras necessárias, precisas, específicas, concisas, simples e,
se possível, curtas. Isto é, não diga nem mais nem menos do que você quer
dizer. Quatro dicas:

Corte palavras desnecessárias para ser conciso.

NÃO	SIM
Neste momento nós acreditamos	Acreditamos
Travar uma discussão	Discutir
Na eventualidade de	Se
Com o objetivo de	Para
Dentro de mais alguns instantes	Vai chover
devemos encontrar pequenas pre-	
cipitações e ligeiras instabilidades	
em nossa rota	

A precisão vocabular e os termos específicos tornarão o seu texto claro e
informativo, evitando o impressionismo e a generalização.

NÃO	SIM
Fora do prazo estipulado	Um dia atrasado
Fazia um calor de rachar	40 graus à sombra
Fina e cara gravata	Gravata de seda
Um dos melhores tenistas do mundo	Quarto do ranking
Parlamentar	Deputado federal

Palavras

3. Palavras simples vão ajudá-lo a escrever com naturalidade.

NÃO	SIM
Empreender	Fazer
Diligenciar	Esforçar-se
Obviamente	É claro
Auscultar	Sondar
Falecer	Morrer
Óbito	Morte
Féretro	Caixão
Esposo, esposa	Marido, mulher
Matrimônio	Casamento
Morosidade	Lentidão
Chefe da nação	Presidente

4. Além de mais legíveis, palavras curtas quase sempre são mais simples.

NÃO	SIM
Impenetrabilidade	Segurança
Transcendental	Elevado
Transgressão	Infração
Unicamente	Só

Não imite os escrivães. Faça como Shakespeare, que com seis palavras — necessárias, precisas, específicas, concisas, simples e tão curtas que a maior tem três letras — escreveu isto: "To be or not to be". (Não vale alegar que a língua inglesa é mais enxuta. Na tradução para o português há apenas quatro palavras: "Ser ou não ser".)

Não diga nem mais nem menos do que você precisa dizer.

Tudo certo, como dois e dois são
inco."

'aetano Veloso

Quando se vêem diante de números, cifras, quantidades e grandezas,
uitos jornalistas tomam um susto, têm crises de insegurança e, com
eqüência espantosa, cometem erros primários.

Embora não se costume ouvir isso nas redações, saber fazer contas certas
tão necessário, para um profissional, quanto o domínio das regras gramati-
ais. Afinal, a exemplo da conjugação dos verbos, números não são minúcias
ecundárias ou pequenos detalhes com os quais não se perde tempo na hora
o fechamento. Números são informações — nove vezes em dez, informações
ssenciais.

Para lidar direito com eles, não se exigem grandes estudos matemáticos
u qualquer especialização em Economia. Bastam três requisitos:

. Conhecimento das quatro operações.
. Atenção.
. Bom senso.

Para começar, apele para o bom senso. Vejamos dois casos. Na apuração,
e um produtor teatral lhe diz que 300 000 pessoas assistiram no ano pas-
ado a peça que ele montou, pense um instante. Chute, só para ter uma idéia
aga, que uma casa com 500 lugares lotou durante 300 noites. Agora, multi-
lique de cabeça: 500 x 300 = 150 000. Você perceberá na hora que o total de
00 000 espectadores é um despropósito.

Em outra reportagem, você escreve que um determinado jogador de fute-
ol, profissionalizado em 1986, já havia marcado, em 1987, perto de 200 gols.
are outra vez para pensar. Pelé, que foi Pelé, levou treze anos para chegar
o milésimo gol. Ora, esse jovem artilheiro conseguiu superá-lo na média.
u você descobriu um fenômeno ou uma falha crassa.

Nas matérias, os números ocupam apenas alguns toques: 1 000 dólares,
990, 20%, 5 milhões de habitantes, 320 votos, 225 metros quadrados, meio
uilo de carne, uma caixa de laranjas, 25 anos, nove sinfonias, 37 dias, 180
uilômetros por hora, 2h12min20s. Troque um deles, porém, e você poderá
star jogando um trabalho no lixo.

Números • Declarações

NÚMEROS

Portanto, cheque sempre — e cheque exaustivamente — cada algarismo colocado no papel. Sobretudo, redobre sua vigilância nos seguintes pontos:

- Conversão de moedas.
- Idades.
- Datas.
- Espaço de tempo (há tantos anos, durante tantos dias).
- Populações.
- Porcentagens.
- Medidas.
- Médias.
- Cálculo de públicos e multidões.
- Resultados, marcas e tempos de competições esportivas.
- Horários e fuso-horários.
- Distâncias.
- Faturamento, lucro, custo, despesa, preço e valor (que, aliás, são coisas bem diferentes).
- Comparações numéricas.
- Nos endereços: CEP, número da casa, apartamento e telefone.

Fazer contas certas é tão importante quanto conhecer a gramática.

DECLARAÇÕES

"Tenha pena dos leitores."

Kurt Vonnegut
Escritor norte-americano

O verbo *dicendi* é tão importante que, ao trocá-lo, você pode virar uma declaração pelo avesso. Por exemplo:

"Sou inocente", disse.
"Sou inocente", esclareceu.
"Sou inocente", insistiu.
"Sou inocente", alegou.
"Sou inocente", mentiu.

Neutro, simples e direto, o verbo "dizer" costuma ser o melhor na maioria dos casos. Seu emprego constante, entretanto, deixa certos textos frios e monótonos. Para fugir da mesmice, socorra-se na riqueza vocabular da língua portuguesa. Mas consulte o dicionário quando tiver dúvidas sobre o sentido preciso do termo.

Escolhido o verbo, veja se ficou claro quem disse o quê. Esse cuidado elementar é muitas vezes negligenciado.

Numa declaração mais longa, facilite a vida do leitor. Identifique o autor antes de abrir aspas ou logo depois da primeira frase — não ao final da última.

NÃO

"Bom jornalista é aquele que, além da informação, possui condições de transmitir essa informação em linguagem acessível ao mercado comprador. Para isso, ele deve ter tido no passado e precisa manter no presente um contato íntimo com os chamados bons autores", escreveu o jornalista Lago Burnett.

SIM

Escreveu o jornalista Lago Burnett: "Bom jornalista é aquele que, além da informação, possui condições de transmitir essa informação em linguagem acessível ao mercado comprador. Para isso, ele deve ter tido no passado e precisa manter no presente um contato íntimo com os chamados bons autores".

OU

"Bom jornalista é aquele que, além da informação, possui condições de transmitir essa informação em linguagem acessível ao mercado comprador", escreveu o jornalista Lago Burnett. "Para isso, ele deve ter tido no passado e precisa manter no presente um contato íntimo com os chamados bons autores."

Nas declarações com duas ou três frases, dispense o segundo verbo *dicendi*. O último é quase sempre redundante.

DECLARAÇÕES

NÃO

"Nas palavras, como nas modas, observe a mesma regra: sendo novas ou antigas demais, são igualmente grotescas", ensinou Alexander Pope, poeta inglês do século XVIII. "Não sejas o primeiro a experimentar as novas, nem tampouco o último a encostar as antigas", acrescentou.

SIM

"Nas palavras, como nas modas observe a mesma regra: sendo novas ou antigas demais, são igualmente grotescas", ensinou Alexander Pope, poeta inglês do século XVIII. "Não sejas o primeiro a experimentar as novas, nem tampouco o último a encostar as antigas."

Veja se ficou claro quem disse o quê.

ADJETIVOS E ADVÉRBIOS

"Corto adjetivos, advérbios e todo tipo de palavra que está lá só para fazer efeito."

Georges Simenon
(1903-1989)
Escritor belga

Normalmente procure escrever seus belíssimos e irretocáveis textos com substantivos sólidos e verbos exatos.

~~Normalmente~~ Procure escrever seus ~~belíssimos e irretocáveis~~ textos com substantivos ~~sólidos~~ e verbos ~~exatos~~.

Use apenas os adjetivos e advérbios necessários.

Pragas do Texto • Repetições

PRAGAS DO TEXTO

"Uma palavra posta fora do lugar estraga o pensamento mais bonito."

Voltaire
escritor francês
(1694-1778)

Há dois tipos principais de erva daninha que podem arruinar qualquer texto: a desinformação e o exagero.

Em uma matéria, o leitor recebe vinte informações diferentes. Dezenove, que ele ignorava, estão certas. Uma, que ele já conhecia, está errada. A tendência desse leitor é duvidar da exatidão de todas as vinte. (*Veja também "Números", na página 31.*)

Em outra matéria, um único exagero de interpretação ou julgamento, cometido na última das 200 linhas de um artigo até então equilibrado, será capaz de levar o mesmo leitor a concluir que tudo o que ele acabou de ler é uma grande bobagem.

Não culpe o leitor. Você também perderia a confiança numa pessoa que lhe mentisse uma só vez.

Erradique as duas pragas com uma rigorosa checagem das informações e uma atenta releitura crítica do que você acabou de escrever.

Combata sem tréguas o exagero e a desinformação.

REPETIÇÕES

"O que é escrito sem esforço é geralmente lido sem prazer."

Samuel Johnson
escritor inglês
(1709-1784)

A repetição desnecessária de palavras, como a dos cardápios, é enjoativa. Procure variar para que seu leitor não perca o apetite.

Por isso, salvo como recurso estilístico ou quando está em jogo a clareza, evite escrever mais de uma vez:

Repetições

- No texto — A mesma conjunção adversativa, exceto "mas" (porém, contudo, todavia, entretanto, no entanto, ainda assim, senão, aliás), conclusiva (portanto, pois, por isso, assim, enfim) ou explicativa (por exemplo, isto é, ou seja); a mesma partícula coordenativa (além disso, com efeito, de todo modo, de qualquer forma, seja como for, de fato, para começar); o mesmo adjetivo; o mesmo verbo *dicendi*, exceto "dizer"; e o mesmo advérbio com o sufixo "mente".

- No parágrafo — O mesmo substantivo; o mesmo verbo; aumentativos, diminutivos e superlativos; e gerúndios.

- Na frase — A mesma preposição, exceto "a" e "de"; e o mesmo pronome pessoal (eu, ele), oblíquo (me, te, se, o, a, os, as, lhe, lhes, nos, vos), possessivo (seu, nosso) ou demonstrativo (este, aquilo). Se possível, qualquer palavra.

Procure não iniciar frases e parágrafos com palavras ou estruturas iguais — incluindo artigos, flexionados ou não.

NÃO	SIM
A decoração de interiores exige alguns cuidados. AS cores das paredes, para começar, irão influir no ambiente. OS móveis devem combinar com o estilo da arquitetura.	A decoração de interiores exige alguns cuidados. Para começar, a cores das paredes irão influir no ambiente. Os móveis devem combinar com o estilo da arquitetura.
SEM que lhe perguntassem, ele disse que gostava muito daquela novela. Não perdia um capítulo. SEM dúvida, era um telespectador assíduo.	Sem que lhe perguntassem, ele disse que gostava mùito daquela novela. Não perdia um capítulo. Era, sem dúvida, um telespectador assíduo.

Para corrigir o problema das repetições — causado geralmente pela desatenção —, existem três boas saídas:

1. Corte de palavras.
2. O uso de sinônimos ou termos análogos.
3. Reconstruir a frase.

Corte palavras, use sinônimos ou mude a frase.

FECHO

"Reescrevi trinta vezes o último parágrafo de Adeus às Armas *antes de me sentir satisfeito."*

Ernest Hemingway
escritor norte-americano
(1889-1961)

Desculpe o lugar-comum, mas não há palavras melhores para definir: a última impressão é a que fica. Apesar de muitos jornalistas não darem atenção a isso, o fecho constitui uma parte crucial de qualquer texto.

Você atraiu o leitor com o título, seduziu-o com o olho e soube agarrá-lo com a abertura. Depois, graças à qualidade da apuração, da redação e da edição, conseguiu que ele fosse até o final da matéria. Não ponha tudo a perder agora. E você correrá esse risco se relaxar no momento decisivo.

Para eliminar o perigo, tenha uma surpresa guardada. Experimente reservá-la já no roteiro. Pode ser uma informação inesperada, uma pequena história relevante, uma declaração forte ou uma conclusão sobre tudo o que foi dito antes, facilitando a compreensão dos temas abordados.

O leitor ficará gratificado e eventualmente se interessará em ler outras coisas que você escrever.

É mais ou menos como no cinema, no futebol ou no restaurante. Ninguém esquece um filme de final marcante, um jogo em que o gol da vitória foi assinalado aos 45 minutos do segundo tempo ou um jantar encerrado com uma sobremesa divina.

Reserve uma surpresa para o último momento.

Releitura

*"É preciso descascar o texto como
quem descasca uma fruta, ir
buscar a semente. Escrever é
principalmente cortar."*

Fernando Sabino
escritor brasileiro

Seu texto ficará muito melhor depois de quatro releituras.

Na primeira, cheque as informações. Não esqueça dos números.

Na segunda, vá atrás de errinhos de datilografia, grafia e acentuação.

Na terceira, elimine as repetições.

Na quarta, corte tudo o que for desnecessário. Se você estiver indeciso aqui ou ali (o receio de que o texto fique mutilado é perfeitamente natural), faça um rápido teste. Com um lápis, risque as palavras, as frases e até os parágrafos sobre os quais paire a menor suspeita de redundância. Neste momento, seja impiedoso. Lembre-se: é só um teste e, com uma borracha, você poderá voltar atrás. Em seguida, compare as duas versões e escolha uma delas.

Finalmente, lamba a cria. Você merece.

Faça um teste para ver se não vale a pena cortar.

Terceira Parte

Terceira Parte

"Certa é a frase que, obedecidos o espírito da língua e as circunstâncias do discurso, comunique com a precisão possível, pronto."

João Ubaldo Ribeiro
escritor brasileiro

Como regra geral, use inicial maiúscula para organizações e instituições, icial minúscula para cargos e títulos.

Com maiúscula:

- Topônimos geográficos: Rio Iguaçu, Ilha de Marajó, Cabo da Boa Esperança, Oceano Atlântico, Monte Everest.

- Topônimos urbanos: Avenida Presidente Vargas, Praça Vermelha, Rua 46, Largo da Matriz.

- Designações de estradas e ferrovias: Via Dutra, Rodovia Régis Bittencourt, Caminho do Mar, Ferrovia Norte-Sul.

- Local onde haja atividade humana, mesmo que não se configure acidente geográfico: Baixada Fluminense, Vale do Jequitinhonha.

- Aeroporto, hospital, casa de saúde, estádio, restaurante, bar, hotel, teatro, cinema, partido, igreja e correlatos, desde que seguido pelo nome: Aeroporto Internacional do Rio de Janeiro, Hospital do Servidor, Casa de Saúde São Vicente, Estádio da Fonte Nova, Churrascaria Gaúcha, Bar Brasil, Hotel dos Estrangeiros, Teatro Guaíra, Cine América, Partido Popular, Igreja de São Tomás.

- Nomes de empresas, instituições, órgãos oficiais: Editora Abril, Anistia Internacional, Presidência da República, Ministério do Exército, Secretaria do Interior, Prefeitura de Belo Horizonte.

- Eras e fatos históricos, guerras (quando declaradas), os dias comemorativos, regiões, cursos, disciplinas, ciências, poderes, prêmios: Idade Média, Revolução Francesa, Semana de Arte Moderna, Guerra Civil Espanhola, Dia do Trabalho, Natal, Carnaval, Ano Novo, Região Sudeste, Oriente Médio, Curso de Direito, a Economia, a Física, Executivo, Legislativo, Judiciário, Prêmio Abril.

- Seleções e competições esportivas: Seleção Brasileira, Seleção Peruana de vôlei feminino, Copa do Mundo, Jogos Olímpicos, Torneio de Wimbledon, Campeonato Paulista, Taça Guanabara.

- Nomes científicos de famílias vegetais e animais (em redondo, mesmo sendo latinos): Filidae, Cervidae.

Maiúsculas e Minúsculas • Números Cardinais

MAIÚSCULAS E MINÚSCULAS

- A palavra "Estado", no seu sentido político ou de divisão territorial: razões de Estado, Estado autoritário, governador do Estado, o Estado de Santa Catarina, a criação do Estado de Tocantins, o Estado do Texas

2. Com minúscula:

- As palavras que designam divisões geográficas ou legais, exceto "Estado": continente, país, município, cidade, capital, governo, comarca
- Cargos e títulos: papa, rainha, presidente, primeiro-ministro, secretário-geral, chanceler, governador, prefeito, general, barão, professor, doutor, professor-doutor.
- Personagens literários ou históricos tomados em sentido geral: ele é um dom-quixote, você é um caxias.
- Nomes próprios que perderam a acepção original ao se tornarem parte de palavras compostas: pau-brasil, cana-da-índia, joão-ninguém.
- Pontos cardeais e conexos quando não designam região: ao sul do Rio Grande, embicou a proa de nau para o ocidente, centro da cidade, zona oeste.
- Departamentos, divisões ou seções de empresas, instituições e órgãos oficiais: departamento de compras da IBM, secretaria-geral do Ministério da Educação, vice-presidência de futebol do Flamengo.

NÚMEROS CARDINAIS

1. Por extenso:

- Até noventa, quando tiverem uma só palavra. Portanto, de zero a vinte e nas dezenas redondas: duas perguntas, sete vidas, cinqüenta crianças
- No início de frase, inclusive em títulos, antetítulos, intertítulos, títulos de continuação, olhos ou subtítulos e legendas: Quarenta e quatro pessoas morreram no acidente. Neste caso, para não quebrar a regra, construa a frase: Morreram no acidente 44 pessoas.
- Em certas expressões e quando o número é substantivado: mil e uma utilidades, As Mil e Uma Noites (obra literária), vinte-e-um (jogo de cartas), oitenta-e-oito (inseto).

2. Com algarismos:

- Quando tiverem mais de uma palavra e a partir de 100: 29 modelos, presentes, 200 metros, 3 000 municípios, 150 000 habitantes.

Grafia

- Os numerais de 1 milhão em diante são grafados de forma mista, com o termo "milhão" (ou "bilhão", "trilhão") precedido de algarismos com até uma casa decimal depois da vírgula: 20 milhões, 20,5 milhões. Caso seja necessário usar mais de uma casa decimal depois da vírgula, grafa-se o número todo em algarismos: 20 520 000.

- Nas quantias, com as unidades monetárias grafadas por extenso: 20 dólares, 300 cruzados novos.

- Em horas, minutos e tempos de competições, abreviados ou não: 10 horas, 20h30, com 1 hora e 10 minutos de atraso, 45 minutos, corrida de 1 hora, 1h25min30s45/100 (nunca 1h25m30s45/100; m é metro).

- Nas medidas — que só serão abreviadas em tabelas, gráficos e mapas —, idades e datas: 40 quilômetros, 9 graus negativos, 5 litros, Gabriela tem 10 anos (mas: ela nasceu há dez anos), 18 de janeiro de 1978.

- Nos endereços: Rua Geraldo Flausino Gomes, 61, 12º andar, CEP 04575, Caixa Postal 2372.

- Quando o portador do número for o único: camisa 10, o carro 22.

- Nas leis, decretos, portarias: Lei 2004, Portaria 50, AI-5.

- Na quilometragem rodoviária: quilômetro 2 da BR-116.

- Nos escores de jogos, veredictos e contagens de votos: o Grêmio ganhou por 1 a 0; o réu foi condenado por 5 a 2; na Câmara dos Deputados, por 220 votos a favor, 100 contra e 5 abstenções...

- Nas porcentagens, em que se usará sempre o símbolo (%): 20%.

- Nos nomes dos logradouros públicos: Rua 15 de Novembro, Avenida 7 de Setembro, Praça 14-Bis.

- Nas receitas: 2 colheres de sopa de manteiga, 6 ovos, 2 cebolas, 3 dentes de alho, 1 ponto alto, 1 ponto baixo, 2 pontos baixíssimos, 4 pontos de tricô.

- Em tabelas, gráficos e mapas.

Números Ordinais • Números Romanos
Anos • Milhares

NÚMEROS ORDINAIS

1. Por extenso:

   • Em geral, de primeiro a décimo: primeiro da turma, o segundo candida
   to, o sexto sentido.

2. Com algarismos:

   • A partir do 11º: o 20º colocado.

   • No primeiro dia de cada mês: 1º de janeiro.

   • Do 1º ao 10º, na seriação de artigos e parágrafos legais: artigo 5º da Con
   tituição, parágrafo 3º. A partir de 11, usam-se números cardinais: a L
   312, em seu artigo 11, parágrafo 15, é bem clara.

   • Na numeração de andares de prédios, unidades militares, zonas eleitorai
   cartórios, varas de justiça, séries escolares, competições: 7º andar, :
   Região Militar, 25ª zona eleitoral, 3º Cartório de Protestos, 6ª Vara d
   Família, 8ª série, 13º Campeonato Brasileiro de Basquete.

NÚMEROS ROMANOS

Apenas para a indicação de séculos e de números dinásticos: século XX
dom Pedro I, papa João Paulo II.

ANOS

Sempre com todos os algarismos, mesmo em seqüências, sem espaç
ou ponto nos milhares: 1989, não 89 e nem 1 989 ou 1.989; entre 1970 e 197
não entre 1970 e 72, e nem entre 70 e 72; tricampeão em 1953/1954/195
não tricampeão em 1953/54/55.

Use, porém, década de 60, não década de 1960.

Em datas anteriores a Cristo, haverá espaço fino nos milhares (correspond
a um espaço na datilografia), sem ponto: 1 500 anos antes de Cristo, 1 00
antes de Cristo.

MILHARES

Use espaço fino (na datilografia, um espaço), sem ponto, para separar a
casas de três algarismos: 1 000, 10 000, 100 000, 1 357 512.

Não haverá espaço em endereços, anos (depois de Cristo), modelos d
carro, leis, portarias, comunicados: Avenida Otaviano Alves de Lima, 440
1968, Caixa Postal 3308, apartamento 1012, CEP 80000, Santana 2000, L
4789, Portaria 13980.

Nomes Próprios

1. Cheque sempre a grafia. No caso de pessoas, jamais hesite em pedir ao entrevistado que soletre o próprio nome.

2. Para nomes geográficos estrangeiros mais usuais, consulte a relação da página 67.

3. Exceto em países como a Indonésia e a Birmânia, as pessoas têm nome e sobrenome. Assim, na primeira referência, não escreva "Verissimo" ou "Fernando Henrique", mas "Luis Fernando Verissimo" e "Fernando Henrique Cardoso".

4. Cuidado, porém, com nomes inteiros que quase ninguém conhece. Ao citar o presidente de Portugal, escreva "Mário Soares" e não "Mário Alberto Nobre Lopes Soares". No lugar de "Bruna Patrícia Romilda Maria Teresa Lombardi", fique com "Bruna Lombardi".

5. O cargo é geralmente mais importante do que o ocupante. Prefira, na primeira referência, "o ministro da Justiça, Bernardo Cabral" a "o ministro Bernardo Cabral, da Justiça" ou "Bernardo Cabral, ministro da Justiça". Do contrário, acabaríamos escrevendo "o presidente Fernando Collor de Mello, da República" ou "Fernando Collor de Mello, presidente da República".

6. Como princípio, siga a grafia do registro civil: Ulysses Guimarães, Ayrton Senna, Lygia Fagundes Telles, Antonio, Edson, Maricy, Domicilla. Quando a forma do registro for desconhecida, use a gramaticalmente correta: Luís, Osvaldo, Manuel, Nélson, Tiago.

7. Nomes próprios estrangeiros com grafia aportuguesada corrente são escritos na fórmula vernácula, respeitado o bom senso: Martinho Lutero, João Paulo II, Filadélfia, Colônia.

8. Nomes próprios estrangeiros sem forma aportuguesada (ou com forma portuguesa pouco usual), e escritos originalmente em alfabetos latinos, mantêm-se na língua de origem, incluindo letras ou sinais inexistentes em português: Janos Kádár, Mario Menéndez, Düsseldorf, Pèrigord.

9. Em alguns casos, consagrados pelo uso, admite-se a tradução de uma parte do nome, mantendo-se a outra na língua de origem: Nova York, Joana d'Arc.

10. Nomes próprios escritos originalmente em línguas que não utilizam o alfabeto latino tendem a ser reproduzidos foneticamente e da forma mais simples possível, respeitado o bom senso e o uso consagrado: Kruchev, Brejnev, Gorbachev, Muamar Kadafi, Deng Xiaoping, Zhao Ziyang.

Diálogos • Aspas

DIÁLOGOS

— Qual é a melhor forma de reproduzir um diálogo? — perguntou.

— Com o uso de travessões — respondeu.

— E as aspas?

— As aspas reproduzem diálogos na língua inglesa — explicou. — Em português, são usadas para declarações, citações e transcrições.

ASPAS

1. Na dúvida, não use.

2. Em declarações, citações, transcrições: "Eu acho que o ministro Batista de Abreu tem que tomar alguma medida, não pode continuar assim", afirmou o brigadeiro Camarinha diante dos gravadores da EBN; conselho do jornalista Walcott Gibbs, da revista *New Yorker*: "Tente preservar o estilo do autor, se ele for um autor e tiver um estilo."

3. Na citação de manchetes de jornais, títulos de reportagens, capítulos de livros e árias de ópera (maiúscula inicial só na primeira palavra): "Irmã Letícia não era irmã nem Letícia", "Uma receita de beleza", "Aspas", "Il bisogno amare".

4. Na citação de seções de revistas (neste caso, todas as palavras, exceto monossílabas, vão com iniciais maiúsculas): "Entre Nós", "Esporte Total", "Correio Técnico".

5. Nos nomes de teses, conferências e debates (mesmo critério anterior): "A Solidão do Homem Moderno no Teatro Contemporâneo".

6. Para apelidos, alcunhas, codinomes e nomes de animais, apenas na primeira referência. A partir da repetição, serão escritos normalmente: "Adlita", "Leãozinho da Lapa", "Chacal", "Tiquinho".
Os apelidos de personalidades esportivas e artísticas são escritos sem aspas: Bebeto, Careca, Xuxa. Usam-se aspas, porém, quando o apelido vai intercalado no nome próprio: Adílson "Maguila" Rodrigues. Se o apelido incorporado oficialmente ao nome, as aspas deixam de existir: Luís Inácio Lula da Silva.

7. Para ressaltar uma palavra ou expressão, de uso restrito ou não: Não escreva "pra", mas "para"; o termo "entupigaitado" é pouco utilizado; ele era conhecido como "seu" Pedrão; os gaúchos gostam da interjeição "Bah!"; tal "refeição leve" provocou-lhe uma indigestão.

ASPAS

8. Quando uma longa citação passa de um parágrafo para outro, abra aspas a cada novo parágrafo, mas só as feche no encerramento do trecho citado.

9. Quando um período abre e fecha com aspas, estas devem seguir-se ao ponto: "Se alguma coisa é importante, diga por que e para quem." (Do manual da revista *The Economist*.) Em caso contrário, o sinal de pontuação é colocado depois das aspas: "O estilo é uma maneira muito simples de dizer coisas complicadas", sentenciou Jean Cocteau. Pontos de interrogação e exclamação que integram a frase citada ficam dentro das aspas: Quatro perguntas que, segundo George Orwell, todo redator escrupuloso deve fazer a si mesmo a cada frase que escrever: "O que estou querendo dizer? Que palavras vão expressar melhor minha idéia? Que imagem tornará essa idéia mais clara? Essa imagem é suficientemente original para provocar algum efeito?"

GRIFO

. Para caracterizar títulos de livros, revistas não editadas pela Abril, jornais (exceto qualquer Diário Oficial), filmes, peças, programas de televisão, vídeo, peças musicais, obras de arte, navios e aviões (quando os mesmos os tiverem): *Dom Casmurro, Globo Rural, Jornal do Brasil, Cidadão Kane, Os Pequenos Burgueses, Domingão do Faustão, Isto é Pelé, Vai Passar, La Bohème, Nona Sinfonia,* de Beethoven, *Guernica, Titanic, Air Force One.*

• Nos aviões, não confundir tipo — Boeing 747, Concorde, DC-10, Bandeirante, Brasília — com nome.

• Nomes de emissoras de rádio e televisão são escritos sem grifo: Rede Globo, TV Manchete, Rádio Eldorado.

. Nas identificações, entre parênteses, dentro das legendas: Juca (*gesticulando*) reuniu-se com Mário (*de cavanhaque*) e Carlos Roberto (*de bigode*); As manifestações realizaram-se em São Paulo (*acima*), Curitiba (*abaixo*) e Mirassol (*ao lado*).

. Quando, numa declaração, houver necessidade de identificar uma pessoa: "Para o Aníbal (*Aníbal Teixeira, ex-ministro do Planejamento*) eu jamais pediria demissão".

. Para destacar uma palavra ou frase, quer do entrevistado, quer da própria revista: "Claro que ouvi tudo", insistiu. "Ele estava *gritando.*"

GRIFO

5. Quando, no meio de um texto, for feita menção a gráfico, quadro, tabela ou outra reportagem: Os novos preços dos automóveis são realmente altos (*veja o quadro ao lado*); Os lançamentos desta primavera consagram o estilo de Azzedine Alaïa (*leia também a reportagem da página 49*).

6. Nos nomes científicos: *Coffea arabica* (o segundo elemento sempre em minúsculas).

7. Nas citações em língua estrangeira (além das aspas): "*Hard writing, easy reading.*"

8. Nas palavras e expressões estrangeiras de uso restrito na língua: *hooligans, condottiere, alea jacta est.* Se seu uso é corrente, dispensa-se o grifo: best seller, réveillon, open market.

9. Num texto totalmente em grifo, usa-se o redondo para dar destaque gráfico: Se você anda com dificuldades para escrever, experimente ler algumas páginas de Vidas Secas, de Graciliano Ramos, ou de Os Sermões, do padre Antônio Vieira.

ABREVIATURAS

1. Sigla é a reunião das iniciais de um nome próprio composto de várias palavras e deve ir, quase sempre, em caixa alta: CGT, CNBB, CBF.

   • Certas siglas silabáveis, mesmo estrangeiras, são escritas em caixa alta e baixa: Vasp, Ibope, Aids.

2. Acrografia é a reunião de elementos (iniciais, primeiras letras e sílabas dos componentes de um nome, com a intenção de formar uma palavra silabável, e deve ir, sempre, em caixa alta e baixa: Sudene, Cacex, Varig.

3. Na primeira referência, o nome deverá preceder a sigla, que virá a seguir entre parênteses. Na repetição, basta a sigla: O Departamento de Aviação Civil (DAC) anunciou o resultado da investigação. Segundo o DAC…

   • Siglas e acrografias notórias, como as dos principais partidos políticos, bancos, companhias aéreas e alguns órgãos governamentais, dispensam explicações: PMDB, Bradesco, Vasp, Telesp, INPS.

4. As estrangeiras mantidas no original pedem tradução ou explicação por extenso: FAO (Organização para Alimentação e Agricultura), Bundesbank (Banco da República Federal da Alemanha), KGB (Serviço Secreto Soviético).

Abreviaturas • Travessão

ABREVIATURAS

- Se elas têm versão corrente em língua portuguesa, recebem o mesmo tratamento das siglas brasileiras: OTAN (Organização do Tratado do Atlântico Norte) — em inglês, NATO; FMI (Fundo Monetário Internacional) — em inglês, IMF.

- Nas assinaturas de matérias apenas com as iniciais, estas deverão ser separadas com ponto: J.R.G., R.P.T., L.W., M.J., A.N., J.R., J.A.P.M.

TRAVESSÃO

1. Não abuse.

2. Sempre duplo na datilografia ou na digitação, pois o sinal ocupa dois espaços no texto composto.

NÃO	SIM
Redigir - na definição do *Aurélio* - é escrever com ordem e método.	Redigir — na definição do *Aurélio* — é escrever com ordem e método.

3. Una com travessão, e não com hífen, palavras que se justapõem de maneira circunstancial numa construção: trafegava no sentido bairro—cidade; Ponte Aérea Rio—São Paulo.

4. Use na transcrição de diálogos (*veja na página 48*).

5. Por uma questão de clareza, não coloque mais de uma oração intercalada com travessão numa mesma frase. Nem uma oração intercalada com travessão seguida por um terceiro travessão, empregado para dar ênfase ao final do período. O resultado é geralmente confuso.

NÃO	SIM
No mundo de hoje, o Brasil, que tem a sexta maior população — perto de 140 milhões de pessoas — e é o primeiro no ranking da dívida externa — acima de 100 bilhões de dólares —, ostenta alguns indicadores preocupantes. Embora com um PIB considerável — o oitavo do Ocidente —, está em 98º lugar em número de médicos por habitantes — atrás de países como Nicarágua e Omã.	No mundo de hoje o Brasil ostenta alguns indicadores preocupantes. Tem a sexta maior população (perto de 140 milhões de pessoas) e é o primeiro no ranking da dívida externa: acima de 100 bilhões de dólares. Embora com o oitavo PIB do Ocidente, está em 98º lugar em número de médicos por habitantes — atrás de países como Nicarágua e Omã.

Primeira Referência

Ao citar pela primeira vez num texto "Rio de Janeiro", "Minas Gerais", "Estados Unidos" e "União Soviética", escreva por inteiro: "Rio de Janeiro", "Minas Gerais", "Estados Unidos" e "União Soviética". Só na segunda referência use "Rio", "Minas", "EUA" e "URSS" ou "Rússia".

Quarta Parte

COLOCAÇÃO DE PRONOMES

1. Guie-se pelo ouvido. A regra básica para a colocação dos pronomes oblíquos átonos (me, te, se, o, a, os, as, lhe, lhes, nos, vos) é a eufonia, ou seja, a elegância e suavidade na pronúncia. Assim, quando possível, procure usá-los antes do verbo: ele me disse, você lhe contou.

2. Fuja da chamada mesóclise (pronome no meio do verbo). Embora gramaticalmente correta, a forma é estilisticamente pedante: encontrar-nos-emos, dir-te-ia, far-lhe-ia.

3. Nas locuções, deixe o pronome solto entre um verbo e outro: vou lhe contar, ela está se arrumando. Em tal caso, não hifenize: vou-lhe contar, ela está-se arrumando.

4. Jamais inicie qualquer oração com pronome oblíquo antes do verbo, salvo em certas citações.
   SIM: Disseram-me que...
   NÃO: Me disseram que...

CRASE

1. É a contração de uma preposição "a" com um artigo feminino "a". Ou seja: à = a + a. Portanto, não existe crase antes de palavra masculina.

2. Duas regras práticas para saber se há crase:
   • Substituir a palavra feminina por uma masculina. Se aparecer "ao", haverá crase. Se não, não: vou à cidade (vou ao centro); rumo à Copa do Mundo (rumo ao campeonato); a toda velocidade (a todo vapor — não se diz "ao todo vapor"); avião a hélice (avião a jato — não se diz "avião ao jato").
   • Se for possível a substituição da preposição "a" por outra com artigo "a", mesmo aparecendo uma ligeira alteração de sentido, também haverá crase: um passo à frente (um passo para a frente); ele está à morte (ele está pela morte); nasceu a 26 de outubro (nasceu em 26 de outubro); chegaram a tempo (chegaram em tempo).

3. Sempre haverá crase:
   • Nas locuções com palavra feminina: às claras, às escuras, à custa de, à direita, à esquerda.
   • Na indicação de horas, desde que a expressão seja feminina: o desfile começa às 13 horas; o restaurante abre das 11 às 15 horas.

CRASE

4. Nunca haverá crase:

- Antes das palavras masculinas. A exceção é quando fica subentendida a locução "à moda de" ou "à maneira de": um texto à Elio Gaspari (um texto à maneira de Elio Gaspari); filé à Rossini (filé à moda de Rossini).

- Nas locuções com elementos repetidos: cara a cara, frente a frente.

- Antes de verbos no infinitivo: começou a discursar.

- Com o "a" no singular antes de feminino plural: reunião a portas fechadas.

5. A crase será optativa antes de nomes femininos ou possessivos femininos: entreguei a matéria à Célia, entreguei a matéria a Célia; eu disse a sua mãe, eu disse à sua mãe.

6. Pode ser usada crase em determinadas locuções, como "a vista" ou "a prestação", nas quais ela a princípio não cabe, por uma questão de clareza: comprei a vista (comprei os olhos ou a paisagem); comprei à vista (pagando no ato).

HAVER/FAZER

1. O verbo "haver" é impessoal quando pode ser substituído pelo verbo "existir" sem que se altere o sentido da frase. Conjuga-se sempre na terceira pessoa do singular: há estrelas no céu (existem estrelas no céu); havia cinco laranjas sobre a mesa (existiam cinco laranjas sobre a mesa).

2. Quando seu sentido não é o de "existir", em tempos compostos, o verbo "haver" flexiona: eles haviam prometido uma visita.

3. No sentido de tempo passado, os verbos "haver" e "fazer" também são impessoais: há cinco anos, faz cinco anos; havia três meses, fazia três meses (*veja também "A/Há, na página 57*). Nessa acepção é redundante dizer: há duas semanas atrás. Limite-se às palavras necessárias: há duas semanas. Ou duas semanas atrás.

Palavras que Confundem

A/Há No sentido de tempo, "a" refere-se ao futuro: chegará daqui a uma semana; está a uma hora de vôo de Brasília. "Há" é para o passado e pode ser substituído por "faz": morreu há dois dias; isso aconteceu há muitos anos.

A custa/as custas À custa de muito esforço; as custas do processo.

A fim de/afim "A fim de" é invariável e significa "com a finalidade de": escrevo a fim de informar (mas é sempre melhor usar "para"). "Afim" é variável e significa "afinidade": idéias afins.

Alternativa/opção/dilema Na alternativa, há apenas duas opções; na opção, há duas ou mais escolhas; no dilema, há duas saídas, ambas difíceis ou penosas.

A moral/o moral "A moral" é o conjunto de regras de conduta ou conclusão que se tira de um fato ou de uma obra: a moral pública, a moral da história. "O moral" é o conjunto de nossas faculdades morais, brio, vergonha: moral elevado, jogar com muito moral.

Amoral/imoral "Amoral" é indiferente à moral. "Imoral" é contrário à moral.

A nível de/em nível de O certo é "em nível de". Mas, se puder, evite.

A par/a ponto Locuções invariáveis: estar a par do problema (não "ao par"); descontrolou-se a ponto de chorar (não "ao ponto"). "Ao par" usa-se para câmbio: o franco suíço está quase ao par do marco.

Apelar Apela-se para alguém; faz-se apelo ao poder público ou a alguma pessoa; apela-se da decisão da Justiça; fez apelo em favor do menor.

Apreender/aprender "Apreender" é assimilar: apreendeu o sentido da coisa. "Aprender" é estudar, instruir-se, tomar conhecimento de: está aprendendo Inglês.

Assistir É um verbo transitivo indireto no sentido de ver (assistir ao espetáculo) e transitivo direto no de prestar assistência (assistir o doente).

A toa/à-toa "À toa" é em vão: discursou à toa, pois ninguém prestou atenção. "À-toa" é sem valor: deu uma entrevista à-toa, que foi para o lixo.

Bimensal/bimestral "Bimensal" é duas vezes por mês, ou seja, quinzenal. "Bimestral" é a cada dois meses.

Palavras que Confundem

Champanhe Sempre masculino e com esta grafia: o champanhe.

Coser/cozer "Coser" é costurar. "Cozer" é cozinhar.

De mais/demais "De mais" é a mais. "Demais" é muito.

Desapercebido/despercebido "Desapercebido" é desprevenido. "Despercebido" é desatento.

Descrição/discrição "Descrição" é ato de descrever. "Discrição" é reserva, modéstia.

Descriminar/discriminar "Descriminar" é inocentar. "Discriminar" é distinguir.

Despensa/dispensa "Despensa" é o lugar onde se guardam mantimentos. "Dispensa" é desobrigação.

Divisa/fronteira/limites Estados são separados por divisas. Países são demarcados por fronteiras. Cidades têm limites.

Emergir/imergir "Emergir" é vir à tona. "Imergir" é mergulhar.

Emigrar/imigrar "Emigrar" é sair do país. "Imigrar" é entrar no país.

Entre um e outro A preposição "entre" exige a conjunção "e" e não "a": a temperatura variou entre 15 e 20 graus centígrados; o público foi calculado entre 5 000 e 6 000 pessoas.

Em vez de/ ao invés de "Em vez de" é em lugar de. "Ao invés de" é ao contrário de.

Este/Esta/Isto Referem-se a) à pessoa que fala;
b) o tempo presente em relação à pessoa que fala.

Esse/Essa/Isso Referem-se a) à pessoa a quem se fala;
b) o tempo passado ou futuro com relação à época em que se coloca a pessoa que fala.

Aquele/Aquela/Aquilo Referem-se a) à pessoa de quem se fala;
b) um afastamento no tempo de modo vago.

Estória Nós preferimos "história".

Flagrante/fragrante "Flagrante" é evidente. "Fragrante" é aromático.

Fim de semana/fim-de-semana "Fim de semana" é o final da semana. "Fim-de-semana" é descanso.

Palavras que Confundem

infligir/infringir "Infligir" é aplicar pena ou castigo. "Infringir" é desrespeitar.

geminada/germinada Casas são geminadas. Sementes são germinadas.

grama Usamos no feminino: a grama de ouro, duzentas gramas de queijo. Gramáticos e puristas entendem que a palavra é masculina, mas isso não corresponde à realidade da língua falada no Brasil. Portanto, adotamos a regra do bom senso.

Handicap É desvantagem, não vantagem.

incipiente/insipiente "Incipiente" é principiante. "Insipiente" é ignorante.

inclusive É o antônimo de exclusive, excluindo, e deve ser usado no sentido de incluindo.

ir de encontro a/ir ao encontro de "Ir de encontro a" é chocar-se com. "Ir ao encontro de" é concordar com.

Mandado/mandato "Mandado" é dirigido, aquele a quem mandaram, ordem escrita de autoridade: pau-mandado, mandado de segurança. "Mandato" exercem os que foram eleitos ou escolhidos: mandato de deputado.

Nem um/nenhum "Nem um" é nem sequer um. "Nenhum" opõe-se a algum.

Olimpíada/Olimpíadas "Olimpíada", no singular, é a competição criada em Olímpia, na Grécia Antiga, para homenagear os deuses do Olimpo. "Olimpíadas", no plural, são os Jogos Olímpicos da Era Moderna: as Olimpíadas de Barcelona, não a Olimpíada de Barcelona.

Onde/aonde Só use "aonde" com verbos que indicam movimento, como ir, vir, voltar, chegar: aonde ele vai? "Onde", como pronome, deve ser empregado apenas em referência a lugar, que o antecederá imediatamente: ele está morando desde o ano passado em Porto Alegre, onde já tem vários amigos. Nunca o utilize nesta forma: ele está morando em Porto Alegre, desde o ano passado, onde já tem vários amigos.

Ótica Use exclusivamente esta grafia em qualquer acepção da palavra.

Para eu/para mim Quando o pronome é sujeito do infinitivo: é um problema para eu resolver; isto é para eu escrever. Quando o pronome não é sujeito: para mim, escrever é profissão (escrever é profissão para mim).

Penny Use esta grafia, em redondo, para a moeda divisionária da libra (plural: pence). Não use a forma aportuguesada "pêni" (plural: "pênis").

Palavras que Confundem

Personagem Sempre no masculino.

Pleito/preito "Pleito" é eleição, debate, litígio. "Preito" é homenagem

Possuir Não use para objetos: um carro não possui quatro portas, te quatro portas; um terminal não possui teclado, tem teclado.

Postar-se/prostrar-se "Postar-se" é colocar-se. "Prostrar-se" é humilha se, abater-se.

Previdência/providência "Previdência" é qualidade de previdente, a tevidência. "Providência" é a suprema sabedoria, o próprio Deus.

Raio-X É a forma usada na língua viva, embora gramáticos ainda pr firam "Raios-X".

Ratificar/retificar "Ratificar" é confirmar. "Retificar" é corrigir.

Ruço/russo "Ruço" é pardacento ou, em gíria, complicado. "Russo" é Rússia.

Se não/senão Quando se pode substituir por "caso não", é "se não" separado. Quando não se pode, é "senão", junto.

Tachar/taxar "Tachar" é qualificar em sentido negativo. "Taxar" é e tipular.

Tampouco/tão pouco "Tampouco" é também não. "Tão pouco" é mui pouco.

Tilintar/tiritar "Tilintar" é soar. "Tiritar" é tremer.

Todo mundo/todo o mundo "Todo mundo" é todos. "Todo o mundo" o mundo inteiro.

Tráfego/tráfico "Tráfego" é trânsito. "Tráfico" é comércio ilícito.

TV em cores Não "tv a cores".

Vaga-lume Não "vagalume".

Viagem/viajem "Viagem" é jornada. "Viajem" é do verbo viajar.

Vívido/vivido "Vívido" é ardente, intenso. "Vivido" é quem viveu muito tem experiência.

Vultoso/vultuoso "Vultoso" é elevado. "Vultuoso" é atacado de vultuosi dade (congestão na face).

Zumbido/zunido "Zumbido" é ruído de insetos. "Zunido" é som agude do vento.

Na dúvida, use o bom senso — e o seu ouvido.

. A maioria de/a maior parte de — singular e plural.

A maioria vence; a maior parte aplaudiu; a maioria dos brasileiros é católica, a maioria dos brasileiros são católicos; a maior parte das crianças gosta de ver televisão, a maior parte das crianças gostam de ver televisão.

. Coletivos — sempre no singular.

A matilha já entrou latindo; o pelotão de soldados combateu com bravura; o cardume de peixes japoneses foi a atração da feira.

. Porcentagens — singular e plural.

Na pesquisa, 55% defenderam a medida; 90% dos problemas foram resolvidos; só 30% do funcionalismo aderiu à greve; 12% da torcida carioca é botafoguense.

. Fração — singular e plural.

Um terço do estoque desapareceu; três quartos dos presentes vaiaram.

. Porção, quantidade, preço — singular.

Quinhentos cruzados novos é demais; três meses é pouco; duas pitadas de sal é muito.

. Mil, milhão — plural.

Mil sapatos estão em liquidação na loja; 1 milhão de pessoas saíram às ruas.

. Nomes próprios que indicam plural — plural.

Os Estados Unidos invadiram Granada; em assembléia-geral, as Nações Unidas aprovaram a resolução (mas: Campinas é uma ótima cidade).

Plural dos Adjetivos Compostos
Plural dos Substantivos Compostos
Por que/Porque

PLURAL DOS ADJETIVOS COMPOSTOS

1. Em geral, só o último elemento irá para o plural: os anglo-saxônicos, os postal-telegráficos.

2. Nos adjetivos compostos designativos de cores, nenhum elemento irá para o plural quando um deles for substantivado ou houver a palavra "cor": tonalidades verde-limão, vestidos cor-de-rosa.

PLURAL DOS SUBSTANTIVOS COMPOSTOS

1. Só o último elemento irá para o plural quando apenas o primeiro for invariável: os vice-presidentes, os guarda-chuvas.

2. Os dois elementos irão para o plural quando ambos forem variáveis separados por hífen: os redatores-chefes, as sextas-feiras.

3. Só o primeiro elemento irá para o plural quando estiver unido ao segundo pela preposição "de": os joões-de-barro, os pernas-de-pau.

4. Nenhum elemento flexionará quando ambos forem invariáveis ou quando o último já estiver no plural: os bota-fora, os saca-rolhas.

POR QUE/PORQUE

1. Use "por que", separado:
   • Numa frase interrogativa, direta ou indireta: por que ele saiu? Não sei por que ele saiu.
   • Quando puder substitui-lo por "a razão pela qual" ou "por que motivo": explique por que devo usar esta roupa (explique por que motivo devo usar esta roupa).

2. Nos demais casos, use "porque", junto.

3. "Por que", separado, em final de frase, é acentuado: mas, afinal, Jânio renunciou por quê?

4. "Porque", junto, quando aparece substantivado no sentido de "motivo" ou "razão", também é acentuado: descobri o porquê de tudo isso.

Prefixos

1. Prefixos que exigem hífen diante de qualquer letra:
   Além
   Aquém
   Bem (exceções: bendizer, benfazer, benquerença, benquisto)
   Co (exceções: coabitar, coadquirir, coatividade, coeficiente, coestadual, coexistir, coirmão, colateral, correlativo, correligionário)
   Ex (exceção: expatriar)
   Pára
   Pós (exceção: posfácio)
   Pré (exceções: preadaptar, precondição, predeterminar, predizer, preestabelecer, preestipular, preexistir, prejulgar, prenome, pressupor)
   Pró (exceções: procriar, pronome, propor, protórax)
   Recém
   Sem
   Vice
   Não foram considerados os prefixos (nuper, sota, soto) e as exceções (exsudato, pospasto) que não integram a linguagem corrente.

2. Prefixos que exigem hífen antes de VOGAL, H, R e S:
   Auto
   Contra
   Extra (exceção: extraordinário)
   Infra
   Intra
   Neo
   Proto
   Pseudo
   Semi
   Supra
   Ultra

3. Prefixos que exigem hífen antes de H, R e S:
   Ante
   Anti
   Arqui
   Mini
   Sobre

4. Prefixos que exigem hífen antes de H e R:
   Hiper
   Inter
   Super

Prefixos • Se

PREFIXO

5. Prefixos que exigem hífen antes de R:
   Ab
   Ad
   Ob
   Sob
   Sub

6. Prefixos que exigem hífen antes de **VOGAL** e H:
   Circum
   Com
   Mal
   Pan

7. Prefixo que exige hífen antes de H:
   Entre

8. Elementos prefixo-radicais dispensam o hífen: aero, agro, alo, ambi, angulo, antropo, arterio, artro, astro, audio, auri, bi, bis, bronco, cardio, cefalo, cerebro, cis, cranio, ego, eletro, endo, enea, estereo, filo, fisio, foto, fronto, geo, hemi, hepta, hetero, hexa, hidro, hipo, homo, intro, justa, macro, maxi, medio, mega, meta, micro, midi, mono, moto, multi, neuro, novi, octa, orto, oto, para, penta, pluri, poli, psico, quadri, radio, retro, sacro, sesqui, socio, tele, termo, tetra, trans, tri, zoo.

SE

A tendência da linguagem corrente é colocar o pronome oblíquo antes do verbo. Dentro dela, porém, muitos erram ao empregar o "se" na função de pronome apassivador. Há duas regras:

1. Para descobrir se o verbo vai para o plural, inverta a frase: alugam-se apartamentos (certo — apartamentos são alugados); aluga-se apartamentos (errado — não se diz "apartamentos é alugado"); aluga-se apartamento (certo — apartamento é alugado); alugam-se apartamento (errado — não se diz "apartamento são alugados").

2. Quando o sujeito é indeterminado, o verbo fica no singular: precisa-se de jornalistas.

Quinta Parte

Abu Dabi
(ver "Emirados Árabes Unidos")

AFEGANISTÃO
Nome oficial: República
Democrática do Afeganistão.
Nacionalidade: afegane.
Capital: Cabul.
Cidades principais: Candahar,
Herat, Mazar-i-Sharif, Jalalabad,
Kunduz, Baglã, Maymana, Pul-i-
Khomri, Gazni.

ÁFRICA DO SUL
Nome oficial: República da
África do Sul.
Nacionalidade: sul-africana.
Capitais: Cidade do Cabo
(legislativa), Pretória
(administrativa) e Bloemfontein
(judicial).
Cidades principais:
Johanesburgo, Durban-Pinetown,
East Rand, Port Elizabeth,
Umhlazi, Roodepoort,
Pietermaritzburg, Germiston,
Boksburg.

Ajman
(ver "Emirados Árabes Unidos")

ALBÂNIA
Nome oficial: República
Socialista Popular da Albânia.
Nacionalidade: albanesa.
Capital: Tirana.
Cidades principais: Durazzo,
Skutari, El Basan, Valona,
Koritsa, Fier, Berat.

ALEMANHA OCIDENTAL
Nome oficial: República Federal
da Alemanha. Use "Alemanha"
ou "RFA" como segunda
referência.
Nacionalidade: alemã ocidental.
Capital: Bonn.
Cidades principais: Berlim
Ocidental, Hamburgo, Munique,
Colônia, Essen, Frankfurt,
Dortmund, Düsseldorf, Stuttgart,
Bremen, Duisburg, Hannover,
Nurembergue, Bochum,
Wuppertal, Bielefeld, Mannheim,
Gelsenkirchen, Münster,
Wiesbaden, Karlsruhe,
Mönchengladbach, Brunswick,
Kiel, Augsburg, Aachen,
Oberhausen, Krefeld, Lübeck,
Hagen, Saarbrücken, Mainz,
Kassel.
Regiões: Berlim Ocidental,
Baden-Württemberg, Baviera,
Bremen, Hamburgo, Hessen,
Baixa Saxônia, Norte do Reno-
Vestfália, Renânia-Palatinado,
Sarre, Schleswig-Holstein.

ALEMANHA ORIENTAL
Nome oficial: República
Democrática Alemã. Use "RDA"
como segunda referência.
Nacionalidade: alemã oriental.
Capital: Berlim Oriental.
Cidades principais: Leipzig,
Dresden, Karl Marx-Stadt,
Magdeburgo, Rostock, Halle an
der Saale, Erfurt, Potsdam, Gera,
Schwerin, Cottbus, Zwickau,
Jena, Dessau.

Alto Volta
(ver "Burkina Faso")

ANDORRA
Nome oficial: Principado de
Andorra.
Nacionalidade: andorrana.
Capital: Andorra la Vella.

ANGOLA
Nome oficial: República Popular
de Angola.
Nacionalidade: angolana.
Capital: Luanda.
Cidades principais: Huambo,
Lobito, Benguela, Lubango,
Malanje.

ANGUILA
(dependência da Grã-Bretanha)
Capital: The Valley.

ANTÍGUA
Nome oficial: Antígua e Barbuda.
Nacionalidade: antiguana.
Capital: St. John's.

ANTILHAS HOLANDESAS
(parte autônoma do Reino da
Holanda)
Capital: Willemstad, na Ilha de
Curaçao.

ARÁBIA SAUDITA
Nome oficial: Reino da Arábia
Saudita.
Nacionalidade: saudita.
Capital: Riad é a capital real;
Jidá, a capital administrativa.
Cidades principais: Meca,
Medina.

ARGÉLIA
Nome oficial: República
Democrática e Popular da
Argélia.
Nacionalidade: argelina.
Capital: Argel.
Cidades principais: Orã,
Constantina, Annaba, Blida, Sétif
Sidi-Bel-Abbès.

ARGENTINA
Nome oficial: República
Argentina.
Nacionalidade: argentina.
Capital: Buenos Aires.
Cidades principais: Córdoba,
Rosário, Mendoza, La Plata, Mar
del Plata, Tucumán, Santa Fé,
San Juan, Salta, Bahía Blanca,
Resistencia, Corrientes, Paraná.

AUSTRÁLIA
Nome oficial: Comunidade da
Austrália.
Nacionalidade: australiana.
Capital: Camberra.
Cidades principais: Sídnei,
Melbourne, Brisbane, Perth,
Adelaide, Newcastle,
Wollongong, Gold Coast, Hobart
Geelong, Darwin.

ÁUSTRIA
Nome oficial: República da
Áustria.
Nacionalidade: austríaca.
Capital: Viena.
Cidades principais: Graz, Linz,
Salzburgo, Innsbruck, Klagenfurt
Villach, Wels.

BAHAMAS
Nome oficial: Comunidade das Bahamas.
Nacionalidade: bahamense.
Capital: Nassau.

BANGLADESH
Nome oficial: República Popular de Bangladesh.
Nacionalidade: bengalesa.
Capital: Daca.
Cidades principais: Chitagong, Kulna.

BARBADOS
Nome oficial: Barbados.
Nacionalidade: barbadiana.
Capital: Bridgetown.

BAHREIN
Nome oficial: Estado do Bahrein.
Nacionalidade: barenita.
Capital: Manama.

BÉLGICA
Nome oficial: Reino da Bélgica.
Nacionalidade: belga.
Capital: Bruxelas.
Cidades principais: Antuérpia, Gand, Charleroi, Liège, Bruges, Namen, Bergen, Malines, Courtrai, Ostend.

BELIZE
Nome oficial: Belize.
Nacionalidade: belizenha.
Capital: Belmopan.

BENIN
Nome oficial: República Popular do Benin.
Nacionalidade: beninense.
Capital: Porto Novo.
Cidades principais: Cotonu, Natitingu, Abomey.

BERMUDAS
(colônia da Grã-Bretanha)
Capital: Hamilton.

BIRMÂNIA
Nome oficial: República Socialista da União da Birmânia.
Nacionalidade: birmanesa.
Capital: Rangum.
Cidades principais: Mandalai, Mulmein, Bassein.

BOLÍVIA
Nome oficial: República da Bolívia.
Nacionalidade: boliviana.
Capital: La Paz é a capital administrativa e sede do governo; Sucre, a capital legal e sede do Judiciário.
Cidades principais: Santa Cruz de la Sierra, Cochabamba, Oruro, Potosí, Tarija.

BOTSUANA
Nome oficial: República de Botsuana.
Nacionalidade: bechuana.
Capital: Gaborone.
Cidades principais: Francistown, Selebi-Picue, Serue.

BRUNEI
Nome oficial: Sultanato de Brunei.
Nacionalidade: bruneiana.
Capital: Bandar Seri Begauan.

BULGÁRIA
Nome oficial: República da
Bulgária.
Nacionalidade: búlgara.
Capital: Sófia.
Cidades principais: Plovdiv,
Varna, Burgas, Russé, Stara
Zagora, Pleven, Shumen.

BURKINA FASO
Nome oficial: Burkina Faso
(ex-República do Alto Volta).
Nacionalidade: burkinense.
Capital: Uagadugu.
Cidades principais: Bobo-
Diulasso, Cudugu.

BURUNDI
Nome oficial: República do
Burundi.
Nacionalidade: burundinês.
Capital: Bujumbura.

BUTÃO
Nome oficial: Reino do Butão.
Nacionalidade: butanesa.
Capital: Timbu.

CABO VERDE
Nome oficial: República de Cabo
Verde.
Nacionalidade: cabo-verdiana.
Capital: Praia.
Cidade principail: Mindelo.

CAMARÕES
Nome oficial: República dos
Camarões.
Nacionalidade: camaronês.
Capital: Iaunde.
Cidade principal: Duala.

CAMBOJA
Nome oficial: República Popular
do Kampuchea.
Nacionalidade: cambojana.
Capital: Fnom Penh.

CANADÁ
Nome oficial: Canadá.
Nacionalidade: canadense.
Capital: Ottawa.
Cidades principais: Toronto,
Montreal, Vancouver, Edmonton,
Calgary, Winnipeg, Quebec,
Hamilton.

CATAR
Nome oficial: Estado do Catar.
Nacionalidade: catariana.
Capital: Doha.

CEUTA E MELILLA
(partes da Espanha metropolitana)

CHADE
Nome oficial: República do
Chade.
Nacionalidade: chadiana.
Capital: Ndjamena (antiga Fort-
Lamy).
Cidades principais: Mundu, Sarh
Abeche, Doba.

CHECOSLOVÁQUIA
Nome oficial: República
Socialista da Checoslováquia.
Nacionalidade: checa.
Capital: Praga.
Cidades principais: Bratislava,
Brno, Ostrava, Kosice, Pilsen,
Olomouc, Hradec Králóve.

Nomes Geográficos

CHILE
Nome oficial: República do Chile.
Nacionalidade: chilena.
Capital: Santiago.
Cidades principais: Viña del Mar, Valparaíso, Talcahuano, Concepción, Antofagasta, Temuco.

CHINA
Nome oficial: República Popular da China.
Nacionalidade: chinesa.
Capital: Pequim.
Cidades principais: Xangai, Tianjin, Xeniang, Wuhan, Cantão, Chungking, Harbin, Chengtu, Tzepo, Chian, Nanquim.

China Nacionalista
(ver "Formosa")

CHIPRE
Nome oficial: República de Chipre.
Nacionalidade: cipriota.
Capital: Nicósia.
Cidades principais: Limassol, Larnaca, Pafos, Famagusta (sob ocupação turca, passou a se chamar Gazi Magosa).

CINGAPURA
Nome oficial: República de Cingapura.
Nacionalidade: cingapuriana.
Capital: Cidade de Cingapura.

COLÔMBIA
Nome oficial: República da Colômbia.
Nacionalidade: colombiana.
Capital: Bogotá.
Cidades principais: Medellín, Cáli, Barranquilla, Cartagena, Bucaramanga, Cúcuta, Ibagué, Pereira, Manizales.

Comores
(ver "Ilhas Comores")

CONGO
Nome oficial: República Popular do Congo.
Nacionalidade: congolesa.
Capital: Brazzaville.
Cidade principal: Pointe-Noire.

CORÉIA DO NORTE
Nome oficial: República Democrática Popular da Coréia.
Nacionalidade: norte-coreana.
Capital: Pionguiangue.
Cidades principais: Chongjin, Caesong, Hungnam.

CORÉIA DO SUL
Nome oficial: República da Coréia.
Nacionalidade: sul-coreana.
Capital: Seul.
Cidades principais: Pusan, Taegu, Inchon.

COSTA DO MARFIM
Nome oficial: República da Costa do Marfim.
Nacionalidade: ebúrnea.
Capital: Abidjã.
Cidades principais: Buaquê, Iamussucro, Daloa.

Nomes Geográficos

COSTA RICA
Nome oficial: República da Costa Rica.
Nacionalidade: costarriquenha.
Capital: San José
Cidades principais: Puntarenas, Limón, Alajuela, Cartago, Heredia.

CUBA
Nome oficial: República de Cuba.
Nacionalidade: cubana.
Capital: Havana.
Cidades principais: Santiago de Cuba, Camagüey, Holguín, Santa Clara, Guantánamo, Cienfuegos.

DINAMARCA
Nome oficial: Reino da Dinamarca.
Nacionalidade: dinamarquesa.
Capital: Copenhague.
Cidades principais: Aarhus, Odense, Aalborg, Esbjerg, Randers.

DJIBUTI
Nome oficial: República do Djibuti.
Nacionalidade: djibutiense.
Capital: Djibuti.

DOMINICA
Nome oficial: Comunidade de Dominica.
Nacionalidade: dominicana.
Capital: Roseau.
Cidade principal: Portsmouth.

Dubai (ver "Emirados Árabes Unidos")

EGITO
Nome oficial: República Árabe do Egito.
Nacionalidade: egípcia.
Capital: Cairo.
Cidades principais: Alexandria, El Giza, Subra-el-Khema, El Mahala el Kubra, Tanta, Port Said, El Mansura.

Eire (ver "Irlanda")

EL SALVADOR
Nome oficial: República de El Salvador.
Nacionalidade: salvadorenha.
Capital: San Salvador.
Cidades principais: Santa Ana, San Miguel.

EMIRADOS ÁRABES UNIDOS
Nome oficial: Emirados Árabes Unidos.
Nacionalidade: árabe.
Capital: Abu Dabi.
Emirados: Abu Dabi, Dubai, Sharjah, Ras al-Khaimah, Fujairah, Ajman, Umm al-Qaiwain.

EQUADOR
Nome oficial: República do Equador.
Nacionalidade: equatoriana.
Capital: Quito.
Cidades principais: Guaiaquil, Cuenca, Machala, Esmeraldas, Ambato, Portoviejo.

Escócia
(ver "Grã-Bretanha")

SPANHA

ome oficial: Reino da Espanha.
acionalidade: espanhola.
apital: Madrid.
idades principais: Barcelona,
alência, Sevilha, Saragoça,
láaga, Bilbao, Las Palmas,
alladolid, Palma de Maiorca.

STADOS UNIDOS

ome oficial: Estados Unidos da
mérica. Use "EUA" como
*e*gunda referência, ou em títulos,
gendas, gráficos e mapas. Não
*s*e "E.U.A.", "USA", "EEUU",
E.E.U.U.", "América", "América
o Norte", "States".
acionalidade: norte-americana
*o*u "americana").
apital: Washington.
idades principais: Nova York,
*o*s Angeles, Chicago, Houston,
*l*adélfia, Detroit, Dallas, San
*i*ego, Phoenix, San Antonio,
*o*nolulu, Baltimore, San
*r*ancisco, Indianápolis, San Jose,
*l*emphis, Milwaukee,
*l*cksonville, Boston, Columbus,
*o*va Orleans, Cleveland,
*e*nver, Seattle, El Paso,
*a*shville, Oklahoma City,
*a*nsas City, St. Louis, Atlanta,
*o*rt Worth, Pittsburgh, Austin,
*o*ng Beach, Tulsa, Miami,
*i*ncinnati, Baton Rouge,
*o*rtland, Tucson, Minneapolis,
*a*kland, Albuquerque, Toledo,
*u*ffalo, Omaha, Charlotte,
*e*wark, Virginia Beach,
*a*cramento.

ESTADO - CAPITAL

Alabama - Montgomery
Alasca - Juneau
Arizona - Phoenix
Arkansas - Little Rock
Califórnia - Sacramento
Carolina do Norte - Raleigh
Carolina do Sul - Columbia
Colorado - Denver
Connecticut - Hartford
Dakota do Norte - Bismarck
Dakota do Sul - Pierre
Delaware - Dover
Flórida - Tallahassee
Geórgia - Atlanta
Havaí - Honolulu
Idaho - Boise
Illinois - Springfield
Indiana - Indianápolis
Iowa - Des Moines
Kansas - Topeka
Kentucky - Frankfort
Louisiania - Baton Rouge
Maine - Augusta
Maryland - Annapolis
Massachusetts - Boston
Michigan - Lansing
Minnesota - St. Paul
Mississipi - Jackson
Missouri - Jefferson City
Montana - Helena
Nebraska - Lincoln
Nevada - Carson City
New Hampshire - Concord
Nova Jersey - Trenton
Nova York - Albany
Novo México - Santa Fé
Ohio - Columbus
Oklahoma - Oklahoma City
Oregon - Salem

Pensilvânia - Harrisburg
Rhode Island - Providence
Tennessee - Nashville
Texas - Austin
Utah - Salt Lake City
Vermont - Montpelier
Virgínia - Richmond
Virgínia Ocidental - Charleston
Washington - Olympia
Wisconsin - Madison
Wyoming - Cheyenne

ETIÓPIA
Nome oficial: Etiópia Socialista.
Nacionalidade: etíope.
Capital: Adis-Abeba.
Cidades principais: Asmará,
Diredaua, Nazaret, Gonder.

FIJI
Nome oficial: Fiji.
Nacionalidade: fijiana.
Capital: Suva.

FILIPINAS
Nome oficial: República das
Filipinas.
Nacionalidade: filipina.
Capital: Manilha.
Cidades principais: Quezon,
Davo, Cebu, Calucan,
Zamboanga, Pasay, Bacolod.

FINLÂNDIA
Nome oficial: República da
Finlândia.
Nacionalidade: finlandesa.
Capital: Helsinque.
Cidades principais: Tampere,
Turku, Espoo, Vantaa, Oulu,
Lahti.

FORMOSA
Nome oficial: República da
China. Use "Taiwan", mas não
"China Nacionalista" ou "China"
como segunda referência.
Nacionalidade: chinesa.
Capital: Taipé.
Cidades principais: Caohsiung,
Taichung, Tainã, Panchiao.

FRANÇA
Nome oficial: República
Francesa.
Nacionalidade: francesa.
Capital: Paris.
Cidades principais: Marselha,
Lyon, Toulouse, Nice,
Estrasburgo, Nantes, Bordeaux,
Saint-Étienne, Havre,
Montpellier, Rennes, Toulon,
Reims, Lille.
Regiões: Ile-de-France,
Champagne-Ardennes, Picardie,
Alta Normandia, Centro, Baixa
Normandia, Borgonha, Nord-Pas
de-Calais, Lorena, Alsácia,
Franche-Comté, Pays de Loire,
Bretanha, Poiton-Charentes,
Aquitaine, Médios Pirineus,
Limousin, Ródano-Alpes,
Auvergne, Languedoc-Roussillo
Provence-Alpes-Côte d'Azur,
Córsega.

Fujairah
(ver "Emirados Árabes Unidos")

GABÃO
Nome oficial: República
Gabonesa.
Nacionalidade: gabonesa.
Capital: Libreville.
Cidades principais: Port-Gentil,
Lambaréné.

GÂMBIA
Nome oficial: República do
Gâmbia.
Nacionalidade: gambiana.
Capital: Banjul.
Cidade principal: Brikama.

GANA
Nome oficial: República de Gana.
Nacionalidade: ganense.
Capital: Acra.
Cidades principais: Cumasi,
Tamale, Tema.

GIBRALTAR
(colônia da Grã-Bretanha,
reivindicada pela Espanha)

GRÃ-BRETANHA
Nome oficial: Reino Unido da
Grã-Bretanha e da Irlanda do
Norte. Fazem parte do Reino
Unido — palavra que só deve ser
empregada nessa acepção — a
Inglaterra, a Escócia, o País de
Gales e a Irlanda do Norte. A
Grã-Bretanha é formada pela
Inglaterra, pela Escócia e pelo
País de Gales. Portanto, salvo em
casos específicos, não use
"Inglaterra" como segunda
referência.
Nacionalidade: britânica.
Capital: Londres.
Cidades principais: Birmingham,
Glasgow, Leeds, Sheffield,
Liverpool, Manchester, Bradford,
Edimburgo, Bristol, Kirklees,
Belfast, Wigan, Coventry.

GRANADA
Nome oficial: Granada.
Nacionalidade: granadina.
Capital: St. George's.

GRÉCIA
Nome oficial: República
Helênica.
Nacionalidade: grega.
Capital: Atenas.
Cidades principais: Salônica,
Pireus, Patras, Larissa.

GROENLÂNDIA
(Estado semi-autônomo do Reino da Dinamarca)
Capital: Nuuk (antiga Godthaab).

GUADALUPE
(departamento de ultramar da França)
Capital: Basse-Terre.

GUAM
(território organizado mas não-incorporado dos Estados Unidos)
Capital: Aganã.

GUATEMALA
Nome oficial: República da Guatemala.
Nacionalidade: guatemalteca.
Capital: Cidade da Guatemala.
Cidades principais: Escuintla, Quezaltenango, Puerto Barrios.

GUIANA
Nome oficial: República Cooperativa da Guiana.
Nacionalidade: guianense.
Capital: Georgetown.
Cidades principais: Linden, Nova Amsterdã, Corriverton, Rose Hall.

GUIANA FRANCESA
(departamento de ultramar da França)
Capital: Caiena.
Cidades principais: Kouru, Rémire-Montjoly.

GUINÉ
Nome oficial: República da Guiné.
Nacionalidade: guineana.
Capital: Conacri.
Cidade principal: Cancan.

GUINÉ-BISSAU
Nome oficial: República da Guiné-Bissau.
Nacionalidade: guineense.
Capital: Bissau.
Cidades principais: Bafafá, Gabu, Mansoa, Catió, Cantchungo.

GUINÉ EQUATORIAL
Nome oficial: República da Guiné Equatorial.
Nacionalidade: guinéu-equatoriana.
Capital: Malabo (ex-Santa Isabel).
Cidade principal: Bata.

HAITI
Nome oficial: República do Haiti
Nacionalidade: haitiana.
Capital: Porto Príncipe.
Cidades principais: Cap Haitien, Gonaives, Les Cayes.

HOLANDA
Nome oficial: Reino dos Países Baixos.
Nacionalidade: holandesa.
Capital: Amsterdã, mas a sede de governo fica em Haia.
Cidades principais: Roterdã, Utrecht, Eindhoven, Groningen, Tilburg, Haarlem.

HONDURAS
Nome oficial: República de
Honduras.
Nacionalidade: hondurenha.
Capital: Tegucigalpa.
Cidades principais: San Pedro
Sula, La Ceiba, Choluteca.

HONG KONG
(colônia da Grã-Bretanha)
Capital: Victoria.

HUNGRIA
Nome oficial: República da
Hungria.
Nacionalidade: húngara.
Capital: Budapeste.
Cidades principais: Miskolc,
Debrecen, Szeged, Pécs, Györ.

IÊMEN
Nome oficial: República Árabe
do Iêmen.
Nacionalidade: iemenita.
Capital: Sanaa.
Cidades principais: Hodeida,
Taiz.

IÊMEN DO SUL
Nome oficial: República
Democrática Popular do Iêmen.
Nacionalidade: sul-iemenita.
Capital: Aden.
Cidade principal: Mucala.

ILHAS COMORES
Nome oficial: República Federal
Islâmica de Comores.
Nacionalidade: comorense.
Capital: Moroni.
Cidades principais: Mutsamudu,
Fomboni.

ILHA DE MAN
(dependência da Coroa britânica)
Capital: Douglas.

ILHA DE PITCAIRN
(colônia da Grã-Bretanha)
Sede: Adams Town.

ILHA JOHNSTON
(território não-incorporado dos
Estados Unidos)

ILHA NORFOLK
(território externo da Austrália)

ILHAS CAYMAN
(dependência da Grã-Bretanha)
Capital: George Town.

ILHAS CHRISTMAS
(território externo da Austrália)

ILHAS COCOS
(território externo da Austrália)

ILHAS COOK
(território associado da Nova
Zelândia)
Centro administrativo: Avarua.

ILHAS DO CANAL
(dependência da Coroa britânica)

ILHAS FALKLAND
(colônia da Grã-Bretanha; as ilhas
são chamadas de Malvinas pela
Argentina, que reivindica sua
posse)
Capital: Port Stanley.

Nomes Geográficos

ILHAS FAROË
(dependência da Dinamarca)
Capital: Thorshavn.

ILHAS MARIANAS DO NORTE (dependência dos Estados Unidos)
Capital: Garapan.

ILHAS MIDWAY
(território não-incorporado dos Estados Unidos)

ILHAS SALOMÃO
Nome oficial: Ilhas Salomão.
Nacionalidade: salomônica.
Capital: Honiara.

ILHAS TURKS E CAICOS
(colônia da Grã-Bretanha)
Capital: Cockburn Town.

ILHAS VIRGENS BRITÂNICAS
(colônia da Grã-Bretanha)
Capital: Road Town.

ILHAS VIRGENS NORTE-AMERICANAS
(dependência dos Estados Unidos)
Capital: Charlotte.

ILHA WAKE
(possessão norte-americana)

ILHAS WALLIS E FUTUNA
(território de ultramar da França)
Capital: Mata Utu.

ÍNDIA
Nome oficial: República da Índia
Nacionalidade: indiana.
Capital: Nova Délhi.
Cidades principais: Bombaim, Délhi, Calcutá, Madras, Bengalore, Hiderabade, Ahmedabade, Kanpur, Nagpur, Puna.

INDONÉSIA
Nome oficial: República da Indonésia.
Nacionalidade: indonésia.
Capital: Jacarta.
Cidades principais: Surabaya, Bandung, Medan, Semarang.

Inglaterra
(ver "Grã-Bretanha")

IRÃ
Nome oficial: República Islâmica do Irã.
Nacionalidade: iraniana.
Capital: Teerã.
Cidades principais: Meshed, Isfahã, Tabriz, Chiraz.

IRAQUE
Nome oficial: República do Iraque.
Nacionalidade: iraquiana.
Capital: Bagdá.
Cidades principais: Basra, Mossul, Kirkuk, Najaf.

IRIÃ OCIDENTAL
(província anexada pela Indonésia)
Capital: Djajapura.

IRLANDA
Nome oficial: República da
Irlanda. Use "Eire" como
segunda referência. A Irlanda não
faz parte nem da Grã-Bretanha,
nem do Reino Unido e nem da
Comunidade Britânica.
Nacionalidade: irlandesa.
Capital: Dublin.
Cidades principais: Cork,
Limerick, Galway, Waterford,
Dún Laoghaire.

Irlanda do Norte
(ver "Grã-Bretanha")

ISLÂNDIA
Nome oficial: República da
Islândia.
Nacionalidade: islandesa.
Capital: Reikjavik.
Cidades principais: Kópavogur,
Akureyri, Hafnarfjordur.

ISRAEL
Nome oficial: Estado de Israel.
Nacionalidade: israelense.
Capital: Jerusalém (não
reconhecida pela ONU; a maioria
das embaixadas fica em
Telavive).
Cidades principais: Telavive,
Haifa, Holon, Petach-Tikva,
Ramat Gan, Derr Sheva.

ITÁLIA
Nome oficial: República Italiana.
Nacionalidade: italiana.
Cidades principais: Milão,
Nápoles, Turim, Gênova,
Palermo, Bolonha, Florença,
Catânia, Bari, Veneza, Messina,
Verona, Trieste, Taranto, Pádua.

REGIÃO - CAPITAL
Abruzos - L'Aquila
Basilicata - Potenza
Calábria - Catanzaro
Campanha - Nápoles
Emilia-Romagna - Bolonha
Friuli-Venezia Giulia - Trieste
Lázio - Roma
Ligúria - Gênova
Lombardia - Milão
Marche - Ancona
Molise - Campobasso
Piemonte - Turim
Puglia - Bari
Sardenha - Cagliari
Sicília - Palermo
Toscana - Florença
Trientino-Alto Adige - Bolzano,
Trento
Umbria - Perugia
Vale d'Aosta - Aosta
Vêneto - Veneza

IUGOSLÁVIA
Nome oficial: República
Federativa Socialista da
Iugoslávia.
Nacionalidade: iugoslava.
Capital: Belgrado.
Cidades principais: Osijek,
Zagreg, Skopje, Saravejo,
Liubliana.

JAMAICA
Nome oficial: Jamaica.
Nacionalidade: jamaicana.
Capital: Kingston.
Cidades principais: Montego
Bay, Spanish Town.

JAPÃO
Nome oficial: Japão.
Nacionalidade: japonesa.
Capital: Tóquio.
Cidades principais: Iocoama, Osaca, Nagóia, Saporo, Quioto, Kobe, Fukuoka, Kawasaki, Hiroshima.

JORDÂNIA
Nome oficial: Reino Hachemita da Jordânia.
Nacionalidade: jordaniana.
Capital: Amã.
Cidades principais: Zarqua, Irbid.

Kampuchea
(ver "Camboja")

KIRIBATI
Nome oficial: República do Kiribati.
Nacionalidade: kiribatiana.
Capital: Bairiki.

KUWAIT
Nome oficial: Estado do Kuwait.
Nacionalidade: kuwaitiana.
Capital: Kuwait.
Cidades principais: Hawali, Salmia.

LAOS
Nome oficial: República Popular Democrática do Laos.
Nacionalidade: laociana.
Capital: Vientiane.
Cidades principais: Savanakhet, Paksê, Luang Prabang.

LESOTO
Nome oficial: Reino do Lesoto.
Nacionalidade: lesota.
Capital: Maseru.
Cidades principais: Teiateianeng, Leribe.

LÍBANO
Nome oficial: República do Líbano.
Nacionalidade: libanesa.
Capital: Beirute.
Cidades principais: Trípoli, Sidon.

LIBÉRIA
Nome oficial: República da Libéria.
Nacionalidade: liberiana.
Capital: Monróvia.
Cidades principais: Harbel, Buchanan.

LÍBIA
Nome oficial: Jamahiria Popular Socialista Árabe da Líbia.
Nacionalidade: líbia.
Capital: Trípoli.
Cidades principais: Bengazi, Az-Zauia, Nikat-el-Khoms, Misurata.

LIECHTENSTEIN
Nome oficial: Principado de Liechtenstein.
Nacionalidade: liechtensteiniense.
Capital: Vaduz.
Cidades principais: Schaan, Balzers, Triesen, Eschen.

LUXEMBURGO
Nome oficial: Grão-Ducado de Luxemburgo.
Nacionalidade: luxemburguesa.
Capital: Luxemburgo.
Cidades principais: Esch-sur-Alzette, Differdange, Dudelange.

MACAU (território da China sob administração de Portugal)
Capital: Macau.

MADAGASCAR
Nome oficial: República Democrática de Madagascar.
Nacionalidade: malgaxe.
Capital: Antananarivo (antiga Tananarive).
Cidades principais: Antsirabé, Toamasina, Fianarantsoa.

MALÁSIA
Nome oficial: Federação da Malásia.
Nacionalidade: malaia.
Capital: Kuala Lampur.
Cidades principais: Ipoh, George Town, Johore Bahru.

MALAVI
Nome oficial: República do Malavi.
Nacionalidade: malaviana.
Capital: Lilongüe.
Cidades principais: Blantyre, Zomba, Mzuzu.

MALDIVAS
Nome oficial: República das Maldivas.
Nacionalidade: maldívia.
Capital: Malê.

MALI
Nome oficial: República do Mali.
Nacionalidade: malinesa.
Capital: Bamaco.
Cidades principais: Mopti, Segu, Caies.

MALTA
Nome oficial: República de Malta.
Nacionalidade: maltesa.
Capital: Valeta.
Cidades principais: Birkirkara, Sliema, Qormi.

Malvinas
(ver "Ilhas Falkland")

MARROCOS
Nome oficial: Reino do Marrocos.
Nacionalidade: marroquina.
Capital: Rabat.
Cidades principais: Casablanca, Marrakesh, Fez, Meknes, Tanger.

MARTINICA (departamento de ultramar da França)
Capital: Fort-de-France.

MAURÍCIO
Nome oficial: Maurício.
Nacionalidade: mauriciana.
Capital: Port Louis.
Cidades principais: Beau Bassin-Rose Hill, Quatre Bornes.

MAURITÂNIA
Nome oficial: República Islâmica da Mauritânia.
Nacionalidade: mauritana.
Capital: Nuakchott.
Cidades principais: Nuadibu, Kaedi.

MAYOTTE
(território de ultramar da França)
Capital: Dzaydzi.

MÉXICO
Nome oficial: Estados Unidos Mexicanos.
Nacionalidade: mexicana.
Capital: Cidade do México.
Cidades principais: Nezahual-cóyoti, Guadalajara, Monterrey, Puebla, Juárez, León, Tijuana, Acapulco.

Micronésia
(ver "Território Tutelado das Ilhas do Pacífico")

MOÇAMBIQUE
Nome oficial: República Popular de Moçambique.
Nacionalidade: moçambicana.
Capital: Maputo (ex-Lourenço Marques).
Cidades principais: Nampula, Beira.

MÔNACO
Nome oficial: Principado de Mônaco.
Nacionalidade: monegasca.
Capital: Monaco-Ville (o principado é formado por uma comunidade, da qual fazem parte além de Monaco-Ville, onde fica a sede do governo, Monte Carlo, La Condamine e Fontvielle).

MONGÓLIA
Nome oficial: República Popular da Mongólia.
Nacionalidade: mongol.
Capital: Ulan Bator.
Cidades principais: Darhan, Erdenet.

MONTSERRAT
(colônia da Grã-Bretanha)
Capital: Plymouth.

NAMÍBIA
(território em disputa, administrado pela África do Sul)
Capital: Windhoek

NAURU
Nome oficial: República de Nauru.
Nacionalidade: naruana.
Capital: Yaren.

NEPAL
Nome oficial: Reino do Nepal.
Nacionalidade: nepalesa.
Capital: Katmandu.
Cidades principais: Patã, Batgaon.

NICARÁGUA
Nome oficial: República da Nicarágua.
Nacionalidade: nicaragüense.
Capital: Manágua.
Cidades principais: León, Granada.

NÍGER
Nome oficial: República do Níger.
Nacionalidade: nigerina.
Capital: Niamei.
Cidades principais: Zinder, Maradi.

NIGÉRIA
Nome oficial: República Federal da Nigéria.
Nacionalidade: nigeriana.
Capital: Lagos.
Cidades principais: Ibadã, Ogbomosho, Cano, Oshogbo, Ilorin.

NIUE
(Estado associado à Nova Zelândia)
Capital: Alofi.

NORUEGA
Nome oficial: Reino da Noruega.
Nacionalidade: norueguesa.
Capital: Oslo.
Cidades principais: Bergen, Trondheim, Stavanger, Kristiansand.

NOVA CALEDÔNIA
(território de ultramar da França)
Capital: Numea.
Cidade principal: Mont Dore.

NOVA ZELÂNDIA
Nome oficial: Domínio da Nova Zelândia.
Nacionalidade: neozelandesa.
Capital: Wellington.
Cidades principais: Auckland, Christchurch, Hamilton, Dunedin.

OMÃ
Nome oficial: Sultanato de Omã.
Nacionalidade: omani.
Capital: Mascate.
Cidades principais: Matra, Nízua, Salalah.

País de Gales
(ver "Grã-Gretanha")

Países Baixos
(ver "Holanda")

PANAMÁ
Nome oficial: República do Panamá.
Nacionalidade: panamenha.
Capital: Cidade do Panamá.
Cidades principais: Colón, David.

PAPUA NOVA GUINÉ
Nome oficial: Estado Independente de Papua Nova Guiné.
Nacionalidade: papuásia.
Capital: Port Moresby.
Cidades principais: Lae, Rabaul.

PAQUISTÃO
Nome oficial: República Islâmica do Paquistão.
Nacionalidade: paquistanesa.
Capital: Islamabade.
Cidades principais: Karachi, Lahore, Faisalabade, Raualpindi.

PARAGUAI
Nome oficial: República do Paraguai.
Nacionalidade: paraguaia.
Capital: Assunção.
Cidades principais: San Lorenzo, Fernando de la Mora, Lambaré, Cidade do Leste, Pedro Juan Caballero, Encarnación.

PERU
Nome oficial: República do Peru.
Nacionalidade: peruana.
Capital: Lima.
Cidades principais: Arequipa, Callao, Trujillo, Chiclayo, Piura, Chimbote, Cuzco.

POLINÉSIA FRANCESA
(território de ultramar da França)
Capital: Papeete.

POLÔNIA
Nome oficial: República Popular da Polônia.
Nacionalidade: polonesa. Não use o termo "polaco", que tem uma conotação pejorativa.
Capital: Varsóvia.
Cidades principais: Lódz, Cracóvia, Wróclau, Poznan, Gdansk, Szczecin, Katowice, Bydgoszcz, Lublin, Sosnowiec.

PORTO RICO (Estado Livre Associado aos Estados Unidos)
Capital: San Juan.
Cidades principais: Bayamón, Ponce, Carolina.

PORTUGAL
Nome oficial: República
Portuguesa.
Nacionalidade: portuguesa.
Capital: Lisboa
Cidades principais: Porto,
Amadora, Setúbal, Coimbra,
Braga.

Qatar
(ver "Catar")

QUÊNIA
Nome oficial: República do
Quênia.
Nacionalidade: queniana.
Capital: Nairóbi.
Cidades principais: Mombaça,
Nakuru.

Ras al-Khaimah
(ver "Emirados Árabes Unidos")

Reino Unido
(ver "Grã-Bretanha")

**REPÚBLICA CENTRO-
AFRICANA**
Nome oficial: República Centro-
Africana.
Nacionalidade: centro-africana.
Capital: Bangui.
Cidades principais: Berberati,
Buar.

REPÚBLICA DOMINICANA
Nome oficial: República
Dominicana.
Nacionalidade: dominicana.
Capital: São Domingos.
Cidades principais: Santiago de
los Caballeros, La Romana.

REUNIÃO
(departamento de ultramar da
França)
Capital: Saint-Denis.

ROMÊNIA
Nome oficial: República
Socialista da Romênia.
Nacionalidade: romena.
Capital: Bucareste.
Cidades principais: Brachóv,
Constantza, Iachi, Timichoara,
Cluj-Napoca, Galatzi, Craiova.

RUANDA
Nome oficial: República
Ruandesa.
Nacionalidade: ruandesa.
Capital: Quigali.
Cidades principais: Butare,
Ruengeri.

SAARA OCIDENTAL
(território em litígio entre o
Marrocos e a Frente Polisario)
Capital: El Aaiún.

SAINT-PIERRE E MIQUELON
(departamento de ultramar da França)
Capital: St. Pierre.

SAMOA AMERICANA
(território não-incorporado dos Estados Unidos)
Capital: Pago-Pago.

SAMOA OCIDENTAL
Nome oficial: Estado Independente de Samoa Ocidental.
Nacionalidade: samoana.
Capital: Apia.

SANTA HELENA
(colônia da Grã-Bretanha)
Capital: Jamestown.

SÃO MARINO
Nome oficial: República de São Marino.
Nacionalidade: samarinesa.
Capital: São Marino.

SANTA LÚCIA
Nome oficial: Santa Lúcia.
Nacionalidade: santa-lucense.
Capital: Castries.

SÃO CRISTÓVÃO E NEVIS
Nome oficial: São Cristóvão e Nevis.
Nacionalidade: são-cristovense.
Capital: Basseterre.

SÃO TOMÉ E PRÍNCIPE
Nome oficial: República Democrática de São Tomé e Príncipe.
Nacionalidade: são-tomense.
Capital: São Tomé.

SÃO VICENTE E GRANADINAS
Nome oficial: São Vicente e Granadinas.
Nacionalidade: são-vicentina.
Capital: Kingstown.

SENEGAL
Nome oficial: República do Senegal.
Nacionalidade: senegalesa.
Capital: Dacar.
Cidades principais: Thiès, Caolack, Saint-Louis.

SERRA LEOA
Nome oficial: República de Serra Leoa.
Nacionalidade: leonesa.
Capital: Freetown.
Cidades principais: Coidu, Bo.

SEYCHELLES
Nome oficial: República de Seychelles.
Nacionalidade: seichelense.
Capital: Vitória.

Sharjah
(ver "Emirados Árabes Unidos")

Singapura
(ver "Cingapura")

SÍRIA
Nome oficial: República Árabe da Síria.
Nacionalidade: síria.
Capital: Damasco.
Cidades principais: Aleppo, Homs, Lataquia, Hama, Deir-el-Zor.

SOMÁLIA
Nome oficial: República Democrática Somaliana.
Nacionalidade: somaliana.
Capital: Mogadíscio.
Cidades principais: Kismaayo, Hargeisa, Berbera.

SRI LANKA
Nome oficial: República Democrática Socialista do Sri Lanka.
Nacionalidade: cingalesa.
Capital: Colombo.
Cidades principais: Deivala-Monte Laviana, Jaffna, Kandy.

SUAZILÂNDIA
Nome oficial: Reino da Suazilândia.
Nacionalidade: suazi.
Capital: Mbabane.
Cidade principal: Manzini.

SUDÃO
Nome oficial: República Democrática do Sudão.
Nacionalidade: sudanesa.
Capital: Cartum.
Cidades principais: Ondurmã, Cartum Setentrional, Porto Sudão.

SUÉCIA
Nome oficial: Reino da Suécia.
Nacionalidade: sueca.
Capital: Estocolmo.
Cidades principais: Gotemburgo, Malmö, Uppsala, Norrköping.

SUÍÇA
Nome oficial: Confederação Helvética.
Nacionalidade: suíça.
Capital: Berna.
Cidades principais: Zurique, Basiléia, Genebra, Lausanne, Winterthur, St. Gallen, Lucerna.

SURINAME
Nome oficial: República do Suriname.
Nacionalidade: surinamesa.
Capital: Paramaribo.

SVALBARD
(território da Noruega)
Centro administrativo: Logyearbyen.

TAILÂNDIA
Nome oficial: Reino da Tailândia.
Nacionalidade: tailandesa.
Capital: Bangcoc.
Cidades principais: Songkhla, Chon Buri, Nakhon Si Thammarat.

Taiwan
(ver "Formosa")

TANZÂNIA
Nome oficial: República Unida da Tanzânia.
Nacionalidade: tailandesa.
Capital: Dar-es-Salaam.
Cidades principais: Zanzibar, Muanza, Tanga.

Tchecoslováquia
(ver "Checoslováquia")

TERRITÓRIO BRITÂNICO DO OCEANO ÍNDICO
(colônia da Grã-Bretanha)
Centro administrativo: Vitória.

TERRITÓRIO TUTELADO DAS ILHAS DO PACÍFICO
(território tutelado da ONU administrado pelos Estados Unidos; também é conhecido como Micronésia)

TIMOR
(território anexado pela Indonésia)
Capital: Dili.

TOGO
Nome oficial: República Togolesa.
Nacionalidade: togolesa.
Capital: Lomé.
Cidades principais: Socodé, Palimé.

TONGA
Nome oficial: Reino de Tonga.
Nacionalidade: tonganesa.
Capital: Nukualofa.

TOQUELAU
(território da Nova Zelândia)
Centro administrativo: Apia.

TRINIDAD E TOBAGO
Nome oficial: República de Trinidad e Tobago.
Nacionalidade: trinitina.
Capital: Port of Spain.
Cidades principais: San Fernando, Arima.

TUNÍSIA
Nome oficial: República da Tunísia.
Nacionalidade: tunisiana.
Capital: Túnis.
Cidades principais: Sfax, Ariana, Bizerta, Djerba.

TURQUIA
Nome oficial: República da Turquia.
Nacionalidade: turca.
Capital: Ancara.
Cidades principais: Istambul (antiga Bizâncio e Constantinopla), Esmirna, Adana, Bursa, Gaziantep.

UVALU

ome oficial: Ilhas de Tuvalu.
acionalidade: tuvaluana.
apital: Funafuti.

GANDA

ome oficial: República de
ganda.
acionalidade: ugandense.
apital: Campala.
idades principais: Jinja,
asaca, Mbala.

mm al-Qiwain

er "Emirados Árabes Unidos")

NIÃO SOVIÉTICA

ome oficial: União das
epúblicas Socialistas Soviéticas.
se "URSS" como segunda
ferência, ou em títulos,
gendas, gráficos e mapas.
acionalidade: soviética.
apital: Moscou.
idades principais: Leningrado,
iev, Tashkent, Baku, Kharkov,
órki, Novosibírsk, Minsk,
uibishev, Sverdlovsk,
nepropetrovsk, Tbilisi, Odessa,
neliabinsk, Donetsk, Ierevan,
msk, Perm, Kazan, Ufa.

REPÚBLICA - CAPITAL

Armênia - Ierevan
Azerbaijão - Baku
Bielo-Rússia - Minsk
Casaquistão - Alma-Ata
Estônia - Tallin
Geórgia - Tbilisi
Letônia - Riga
Lituânia - Vilnius
Moldávia - Kishinev
Quirguiz - Frunze
Rússia - Moscou
Tajiquistão - Dushambe
Turcomana - Ashkhabad
Ucrânia - Kíev
Uzbequistão - Tashkent

URUGUAI

Nome oficial: República Oriental
do Uruguai.
Nacionalidade: uruguaia.
Capital: Montevidéu.
Cidades principais: Salto,
Paissandu, Las Piedras, Rivera,
Melo.

VANUATU

Nome oficial: República do
Vanuatu.
Nacionalidade: vanuatense.
Capital: Port Vila.

VATICANO

Nome oficial: Estado da Cidade
do Vaticano. Use "Santa Sé"
como segunda referência. O
adjetivo referente ao Vaticano é
"vaticano".

VENEZUELA

Nome oficial: República da Venezuela.
Nacionalidade: venezuelana.
Capital: Caracas.
Cidades principais: Maracaíbo, Valencia, Barquisimeto, Maracay, Barcelona/Puerto la Cruz, San Cristóbal.

VIETNÃ

Nome oficial: República Socialista do Vietnã.
Nacionalidade: vietnamita.
Capital: Hanói.
Cidades principais: Ho Chi Minh (antiga Saigon), Haiphong, Da Nang, Nha Trang, Qui Nhon, Hué.

ZAIRE

Nome oficial: República do Zaire.
Nacionalidade: zairense.
Capital: Kinshasa (antiga Léopoldville).
Cidades principais: Cananga (antiga Luluaburg), Lubumbashi (antiga Elizabethville).

ZÂMBIA

Nome oficial: República do Zâmbia.
Nacionalidade: zambiana.
Capital: Lusaca.
Cidades principais: Kitue, Ndola, Mufulira.

ZIMBÁBUE

Nome oficial: República do Zimbábue.
Nacionalidade: zimbabuana.
Capital: Harare (antiga Salisbury).
Cidades principais: Bulauaio, Chitungüiza, Güeru.

abelas de Conversão

ultiplique número de	por	para obter o equivalente em
edidas de área		
cres	0,4047	Hectares
rdas quadradas	0,8361	Metros quadrados
ilhas quadradas	2,5899	Quilômetros quadrados
s quadrados	0,0929	Metros quadrados
legadas quadradas	6,4516	Centímetros quadrados
queire mineiro	4,84	Hectares
queire paulista	2,42	Hectares
edidas de comprimento		
rdas	0,9144	Metros
ilhas	1,6093	Quilômetros
ilhas náuticas	1,852	Quilômetros
s	0,3048	Metros
legadas	2,54	Centímetros
edidas de peso		
bras	0,4535	Quilos
ças	28,3495	Gramas
ças troy	31,1034	Gramas
edidas de capacidade		
rris de petróleo (1)	158,9873	Litros
lões americanos	3,7854	Litros
lões britânicos	4,546	Litros

) O barril de petróleo equivale a 42 galões americanos.

ALMANAQUE ABRIL (capítulo "Curiosidades") contém tabelas
mpletas para a conversão de outras medidas.

A CONSTRUÇÃO DO LIVRO — Emanuel Araújo, Editora Nova Fronteira, Rio de Janeiro, 1986.

A LÍNGUA ENVERGONHADA — Lago Burnett, Editora Nova Fronteira, Rio de Janeiro, 1976.

ALMANAQUE ABRIL 90

DE JORNAL EM JORNAL — Lago Burnett, Gráfica Record Editora, Rio de Janeiro, 1968.

DICIONÁRIO UNIVERSAL NOVA FRONTEIRA DE CITAÇÕES — Paulo Rónai, Editora Nova Fronteira, Rio de Janeiro, 1985.

GRAMÁTICA METÓDICA DA LÍNGUA PORTUGUESA — Napoleão Mendes de Almeida, Editora Saraiva, 35ª edição, São Paulo, 1988.

GUIDE DE LA RÉDATION — Centre de Formation et de Perfectionnement de Journalistes, 2ª edição, Paris, 1987.

HART'S RULES FOR COMPOSITORS AND READERS — Oxford University Press, 39º edição, Oxford, 1987.

HOW TO COMMUNICATE — Charles Einstein, McGraw-Hill Book Company, Nova York, 1985.

LIBRO DEL ESTILO — El Pais, Madrid, 1980.

LOS ANGELES TIMES STYLEBOOK — compilado po. Frederick S. Holley, New American Library, Nova York, 1981.

MANUAL DE RADIOJORNALISMO JOVEM PAN — Maria Elisa Porchat, Brasiliense, São Paulo, 1986.

MANUAL DE TELEJORNALISMO — Rede Globo, Rio de Janeiro, s/d.

MANUAL GERAL DE REDAÇÃO — *Folha de S. Paulo*, 2ª edição, São Paulo, 1987.

NÃO ERRE MAIS! — Luiz Antonio Sacconi, Editora Ática, 9ª edição, São Paulo, 1987.

NORMAS DE REDAÇÃO DE CINCO JORNAIS BRASILEIROS — seleção de José Marques de Melo, Universidade de São Paulo, São Paulo, 1972.

NORMAS DE REDAÇÃO — *Jornal do Brasil*, Rio de Janeiro, 1973.

NOVA GRAMÁTICA DO PORTUGUÊS CONTEMPORÂNEO — Celso Cunha Lindley Cintra, Editora Nova Fronteira, 2ª edição, Rio de Janeiro, 1985.

OVO DICIONÁRIO DA
ÍNGUA PORTUGUESA —
urélio Buarque de Holanda
erreira, Editora Nova Fronteira,
ª edição, Rio de Janeiro, 1986.
N WRITING WELL —
Villiam Zinsser, Harper & Row,
ª edição, Nova York, 1985.
 PAPEL DO JORNAL —
lberto Dines, Summus Editorial,
ª edição, São Paulo, 1986.
HE ASSOCIATED PRESS
TYLEBOOK AND LIBEL
1ANUAL — editado por
hristopher W. French, Addison-
Vesley Publishing Company,
nc., Reading, Massachusetts,
987.
HE ECONOMIST POCKET
TYLE BOOK — The
conomist Publications Ltd.,
ondres, 1987.
HE ELEMENTS OF STYLE —
Villiam Strunk Jr. e E.B. White,
1acmillan Publishing Co., Inc.,
Iova York, 1979.
HE EUROPA YEAR BOOK —
uropa Publications Limited,
ondres, 1987.
HE GOLDEN BOOK ON
VRITING — David Lambuth,
enguin Books, Nova York,
987.

THE NEW YORK TIMES
MANUAL OF STYLE AND
USAGE — revisto e editado por
Lewis Jordan, Quadrangle/The
New York Times Book
Company, Nova York, 1976.
THE OXFORD DICTIONARY
FOR WRITERS AND EDITORS
— Clarendon Press, Oxford,
1988.
THE OXFORD DICTIONARY
OF QUOTATIONS — Oxford
University Press, Oxford, 1985.
THE WASHINGTON POST
DESKBOOK ON STYLE —
compilado por Robert A. Webb,
McGraw-Hill Book Company,
Nova York, 1978.
THE WORLD IN FIGURES —
The Economist Publications Ltd.,
Londres, 1987.
WEBSTER'S NEW WORLD
DICTIONARY OF THE
AMERICAN LANGUAGE,
SECOND COLLEGE EDITION
— Prentice Hall Press, Nova
York, 1986.

Colaboraram: Lauro Machado
Coelho e Sinval Medina.

ESTA OBRA FOI IMPRESSA NA
EDITORA PARMA LTDA.,
PARA A EDITORA NOVA FRONTEIRA S.A.,
EM JULHO DE MIL NOVECENTOS E NOVENTA E UM.

Não encontrando este livro nas livrarias, pedir pelo
Reembolso Postal à EDITORA NOVA FRONTEIRA S.A.
Rua Bambina, 25 — Botafogo — CEP 22251 — Rio de Janeiro